香積世界

……… 法界食譜 2

香積世界 飯香如意味
餐吉祥甘露

Contents

香積世界

和合家常　　歡樂宴客

吃肉等於吃毒

眾生肉裏都有一種毒，是無藥可救的；
人一旦吃了畜生的肉，毒就跑到人的身上！

禍福無門，唯人自招，所謂「病從口入，禍從口出」，人遇飛災橫禍，多因亂講話而起。若儘吃肥膩的，有滋味的，或雞鴨魚肉等，享一時的口腹之欲，就會惹來很多病痛。吃時，你覺得很美味；但時間一久便慢性中毒，到時可就無藥可救了。

眾生肉裏都有一種毒，是無藥可救的。人一旦吃了畜生的肉，毒就跑到人的身上。若吃蔬菜，雖有毒質，但輕得多。肉類的毒是百分之百，而蔬菜只有百分之一，可以說是天淵之別。

一切眾生肉裏都有一種毒，這種毒不是一朝一夕積成的，也不是一生一世造成的，而是生生世世累積而成的。人與人之間互相殘殺，醞釀一種不能泯滅的怨毒；殺畜生時，畜生心中也存有一種怨毒；牠臨死時，心生恐怖、仇恨，又想報復，所以從牠性情中湧出的怨恨仇恨，轉變而生出一種毒素。因此當人吃眾生肉時，就是在吃毒呢！吃的當時，不覺有害；但久而久之就無藥可救，生出種種奇怪不治之病。例如癌症，主要因素是人類好吃肉類，殘殺生靈，導致怨氣沖天所造成的；這個毒素無形無相，比原子彈還毒，會令人同歸於盡。

還有，現在地、水、空都污染了，一切物質也被染污了。這種污染，從裏而外，無處不荼毒，不是清水能洗滌乾淨的。尤其是動物，牠吃了種種化學的飼養料，或經人注射荷爾蒙後，被人宰殺而食之；這些肉類在人體內產生種種不良變化，也互相傷害，於是造成癌症及種種不可名狀，無藥可治的怪病。

所以各位！不要貪好味、貪口福，這樣時間久了，就可以將毒素排泄，而不會產生怪病。這些話的意思，各位要研究啊！在這個「壞」時代裏，人人應該大聲疾呼，儘量勸人戒殺護生，免得造成全人類滅亡的慘劇。戒之！慎之！

　　　　　　　　——宣化上人

編者的話

寺廟的廚房稱為「香積廚」或「香廚」。香，是取香飯的意思，這是有典故的。《維摩詰經》〈香積佛品〉載：「上方界分過四十二恒河沙佛土，有國名眾香，佛號香積，其國香氣比於十方諸佛世界人天之香最為第一。彼土無有聲聞辟支佛名，唯有清淨大菩薩眾，佛為說法。其界一切皆以香作樓閣，經行香地苑園皆香，其食香氣周流十方無量世界，時彼佛與諸菩薩方共坐食，有諸天子皆號香嚴，悉發阿耨多羅三藐三菩提心，供養彼佛及諸菩薩，…一切十方皆遣化往施作佛事饒益眾生。於是香積如來，以眾香盛滿香飯與化菩薩…仁者可食如來甘露味飯，大悲所熏，無以限意，食之使不消也。…其諸菩薩聲聞天人食此飯者，身安快樂，譬如一切樂莊嚴國諸菩薩也。」

原來「吃」，也可以吃得法味十足，《漢書》云：「民以食為天」，可見「吃」是人生大事，一般人努力賺錢，常常以滿口腹之欲為要；可是，在滿欲的同時卻也種下了殺生的惡因，以致日後飽嚐苦果。既然如此，何不以大悲心來發揚素食，讓浮世大眾吃得滿足歡喜，吃得健康清淨；除了種善因、結好緣，動物也可一免殺身之禍，一舉數得，何樂而不為？在烹調中，若能以慈悲心入味，更是無上的調味料，食者得品天廚之味。

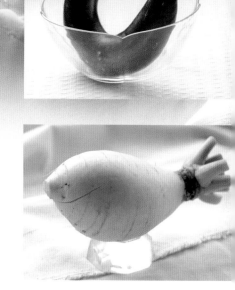

法界食譜之二《香積世界》其內容相較於法界食譜之一《菜根飄香》，可說是素菜的進階班，需要較多的工序方能完成佳餚。有別於《菜根飄香》，本食譜的內容增加了糕餅類與宴客菜。希望可以為您增加更多的素食變化，且能讓您成為一位更稱職的家庭「煮」婦，讓您生活週遭的人吃得健康、美味、法喜充滿！

書內所提供之份量、調味料量及油量，僅供參考，可依個人之體質、身體狀況、喜好來增減，適度用之。（調味料也會依產牌不同，其鹹淡甜度也有所不同。）

——法界食譜工作群

德國著名醫學家史懷哲從小就非常善良，不忍殺生，
朋友若是找他一起去釣魚，他總是不肯；
每天睡前，一定要為所有生物禱告，才願意安心入睡。

史懷哲剛到非洲行醫時，
看到當地人用小馬兒拉木頭，覺得很不忍；
也因為非洲的種種經歷，讓他更體悟出尊重生命的理念。

對史懷哲而言，生命是平等的，
他在非洲不僅照顧病人，也收養了兩百多隻動物，
他尊重每一個生命！

一個傍晚，史懷哲和友人坐在屋前閒談，
友人發現一隻大黑蟻爬上史懷哲的領口，
直覺地想伸手把牠拍掉，
史懷哲擋住他的手，說道：「小心，我的螞蟻！」

還有一次，史懷哲倒了一湯匙的果汁在地上，
這時一群小黑蟻立即湧來吸吮；
看著這群黑色的小傢伙，
他開心地說：
「看看這些小東西！真像小小牛在池塘裏玩水！可高興了！！」

家庭和合萬事興
烹煮全家老小愛吃的素食佳餚
是慈愛的大表現

和合家常

Merciful Cooking
Joyful Tasting

世

上多殺生　遂有刀兵劫　負命殺汝身　欠財焚汝宅

離散汝妻子　曾破他巢穴　報應各相當　洗耳聽佛說

——慈壽法師

樹子瓠瓜

（約 4~6 人份）

步　驟：　1. 瓠瓜去皮洗淨，切約 2x5 公分長條。鮮香菇洗淨切絲。
　　　　　2. 油 1 大匙入炒鍋，放入鮮香菇，略炒香，再入瓠瓜、醬樹子、水 1 杯，蓋上
　　　　　　　鍋蓋，以中小火燜煮約 6 分鐘，即可起鍋。

秘　訣：　瓠瓜煮到熟透，其甜味會自然釋放出來。

變　化：　瓠瓜可以豆包取代替換。

知　識：　破布籽俗稱樹子，原產於廣東、福建、海南島及台灣，其分佈遍及印度、馬
　　　　　來西亞、澳洲、菲律賓、錫蘭等地。台灣破布籽產於南化、玉井、楠栖、六
　　　　　甲等山區。破布籽具有開脾、健胃功效。

材　料：
小瓠瓜 1 條
醬樹子（顆粒狀）3 大匙
鮮香菇 3 朵

道

旁楊柳枝　青青不可攀　回看攀折處　傷痕如淚潛

古人愛生物　仁德至今傳　草木未搖落　斧斤不入山

——弘一大師

蒟蒻什錦

（約 4~6 人份 ）

步　　驟：
1. 五香豆乾洗淨，切絲備用。
2. 油 1 大匙入炒鍋待熱，放入薑絲炒香，再放豆乾絲略炒，入醬油炒香，加少許水炒入味，再加入所有的材料（蒟蒻絲、榨菜絲、筍絲、木耳絲、香菇絲、紅蘿蔔絲），燜煮約 5 分鐘，最後洒入芹菜段、辣椒絲，拌炒均勻，即可起鍋。

秘　　訣：
蒟蒻可以自己動手做，比較經濟：一次可做多一點。
（請參考本會出版之《菜根飄香》‧ 22 頁）

知　　識：
蔬菜所含的維他命 C 一般都會很快流失。蘆荀在冷藏的情況下，貯存一天所損失的維他命 C 約 5%；貯存至一星期，維他命 C 約損失 50% 之多。 至於其他蔬菜，所損失的維他命 C 分量各異，但貯存時間與維他命 C 損失肯定成正比。因此，蔬菜實不宜一次購進太多。

材　　料：

蒟蒻絲半碗　　　　五香豆乾 4 片
榨菜絲半碗　　　　筍絲半碗
木耳絲 1/4 碗　　　香菇絲 1/4 碗
紅蘿蔔絲 1/4 碗　　芹菜段 1/4 碗
辣椒絲少許

調味料：

醬油 1 大匙
薑絲 1/4 碗

若佛子，以慈心故，行放生業，一切男子是我父，
一切女人是我母，我生生無不從之受生，故六道眾生，
皆是我父母，而殺而食者，即殺我父母…。

——《梵網經》

味噌麵筋

（約 4~6 人份）

步　驟： 1. 麵筋袋洗淨，切 2x3 公分長備用。味噌加糖、水 1 大匙，調勻備用。

2. 油 1 大匙入炒鍋待熱，放入步驟 1.之麵筋片，煎成兩面金黃色，加入已調勻之味噌，拌炒均勻，即可起鍋。

秘　訣： 煎或炒麵筋時，要待鍋熱方能放入，才不易沾鍋。採用不沾鍋，會比較得心應手。

變　化： 亦可用豆腐、油豆腐、或麵筋條替換麵筋袋。

知　識： 使人長胖二點五公斤，素食者只要用掉三十二公斤的植物即可，而肉食者卻要吃掉一百三十五公斤的肉和一千七百三十六公斤的植物。所以如果一個肉食者變成一位素食者，他所節省下來的食物就可以讓數十名的人從飢餓的困境中解脫出來。

材　料：
麵筋袋 2 個

調味料：
味噌（粗、細皆可）2 大匙
糖 1/2 茶匙

蔬菜和水果比任何調配的膳食含有更重要的成分，
因為它們包含各種已知的和未知的維他命。
——麥克利遜爵士（Sir Robert Mc Carrison, 英國營養學家）

雲集百頁

（約 4~6 人份）

步　驟：1. 所有材料洗淨。大白菜橫切 2 公分寬。香菇泡軟，切絲。黑木耳切片。金針菇去根部，洗淨對切。芹菜切小段備用。百頁切成 2x4 公分長段，放入油鍋炸（或煎）成金黃色，起鍋，再放入炒鍋，加入淡色醬油 1 大匙、水半碗，用小火燜煮入味（約 5 分鐘），備用。
　　　2. 油 1 茶匙入鍋，待熱，放入香菇絲、薑絲爆香，加入紅蘿蔔片略炒，再加入大白菜、草菇、黑木耳、金針菇入鍋，用小火燜煮約 6 分鐘，加入海鹽、芹菜，徐徐倒入少許芡水拌勻（勾薄芡），最後再加入步驟 1.之百頁，淋上少許香油，拌均勻即可起鍋。

秘　訣：1. 在這道菜中，百頁要在最後加入，口感較佳。
　　　2. 乾香菇，在使用的前一天洗淨，勿泡水，放入冰箱使其自然軟化，味道會更香甜。

變　化：　大白菜亦可以高麗菜替換，味道甜美。

材　料：
草菇半碗
香菇 4 朵
金針菇 1 把
黑木耳半碗
大白菜 1 顆
百頁豆腐 1 條
紅蘿蔔片 1/4 碗
芹菜適量

調味料：
海鹽 1 茶匙
薑絲 1 大匙
香油 1/2 匙
淡色醬油 1 大匙

若復有人，素食梵行，斷食酒肉，日夜恆誦，獲大富貴。

——《聖持世陀羅尼經》

清心燴集

（約 4~6 人份）

步　驟：　1. 洗淨所有材料。紅甜椒去籽切片，大黃瓜去皮去籽，斜刀切片。玉米筍斜切。腰果入溫油炸成金黃色，起鍋，瀝乾油份，備用。
2. 油 1 大匙入炒鍋待熱，放入大黃瓜，大火炒約 5 分鐘，起鍋。
3. 炒鍋加 1 碗水，待滾，放入紅甜椒、草菇、玉米筍，用中火燜約 3 分鐘，加入大黃瓜、海鹽，徐徐倒入少許芡水拌勻，即可起鍋入盤，再洒上腰果即成。

變　化：　腰果亦可用烤箱烘焙，效果佳。

知　識：　有些人認為用素食餵養小孩不太安全，怕他們不能長成健壯的成人，這是一個錯誤的觀念。加州樂馬林達大學健康系的系主任，一生為素食者，他的兩個小孩也是素食者，他說小孩從小吃素可減低他們得心臟病和過肥的機會，而這兩種症狀都被認為導源於幼兒期。別的研究也顯示出：以素食養育出來的小孩，牙齒較健康，比肉食的兒童更少有兒童疾病、感冒、過敏等。

材　料：
紅甜椒 1 個
草菇半碗
大黃瓜 1 條
玉米筍半碗
腰果半碗

調味料：
海鹽 1/2 茶匙

切眾生因殺生故，現在短命，眷屬分離，橫罹其殃。

——《優婆塞戒經》

花菇麗芽

（約 4~6 人份）

步　　驟：1. 高麗菜芽洗淨，1 個切成 4 瓣。花菇洗淨泡軟，瀝乾水份，斜刀切片。

　　　　　2. 油 1/2 茶匙入炒鍋待熱，放入花菇略炒，加入高麗菜芽、紅蘿蔔片、海鹽、糖略炒，加入水半碗，用中小火燜煮約 6 分鐘即可起鍋。

秘　　訣：　炒或煮高麗菜芽時，可加少許糖，使其本身的甜度能釋放出來；其甜度與糖的甜度相互融合，更能突顯出美味。

變　　化：　沒有高麗菜芽的季節時，可用高麗菜替換。

知　　識：　澳洲新南威爾斯教育局保健委員會發現：肉食、加工食品及甜點會使兒童愚笨、肥胖、情緒不穩定、精神異常和充滿暴力，因此，嚴令禁止在校園內販賣這些點心和食物。

材　　料：　　　　　　　　　　調味料：
高麗菜芽 600 公克　　　　　　海鹽 1/2 茶匙
　　　　　（1 台斤）　　　　　糖 1/2 茶匙
花菇 3 朵
紅蘿蔔片少許

誰
道群生性命微　一般骨肉一般皮
勸君莫打枝頭鳥　子在巢中望母歸
————唐·白居易

芋頭什錦

（約 4~6 人份）

步　　驟：1. 洗淨所有的菜。芋頭、馬鈴薯、紅蘿蔔去皮切 1 公分大小丁，鮮香菇洗淨切丁。蓮子入水煮熟，備用。
　　　　　2. 油 1 大匙入炒鍋，待熱，放入所有材料，加入 1 碗水，用小火燜煮約 10 分鐘，加入海鹽，拌勻，起鍋，淋上少許香油即可上桌。

秘　　訣：1. 芋頭去皮及清洗時，最好能戴手套，以免手癢。
　　　　　2. 芋頭很容易煮爛，在烹煮過程中，不宜太過翻動。

變　　化：　亦可以山藥替換芋頭或馬鈴薯。

知　　識：　芋頭原產於南亞，早在西漢時代就有芋頭栽培法的記錄。購買芋頭，要鬚根較少而粘附濕泥，帶濕氣的為新鮮；芋皮間隔，一圈圈的由上而下逐漸變狹窄的為佳。再者，可用手比較重量：輕身的，肉質必是粉綿鬆化的；再用手指輕彈芋頭，聲沉不響的，也多屬鬆粉的芋頭。

材　　料：
芋頭 1 條（約 600 公克=1 台斤）
馬鈴薯 1 條
毛豆半碗
玉米粒半碗
蓮子半碗
紅蘿蔔少許
鮮香菇 2 朵

調味料：
海鹽 1/2 茶匙
香油少許

放生是救他生命，解他痛苦；
天有好生之德，佛戒第一不殺，
可以想見功德之大，所得善報無量無邊。
——李炳南老居士

菱角鴻宴

（約 4~6 人份）

步　　驟： 1. 洗淨材料。紅甜椒去籽切片。皇帝豆汆燙，入冷水漂涼，備用。鮮木耳切 2 公分正方形，備用。
2. 油 1 大匙入炒鍋，待熱，放入淡色醬油略炒，加入去殼菱角，水蓋過材料，大火煮滾，小火燜煮至熟透（約 15 分鐘），加入紅甜椒、皇帝豆、鮮木耳、海鹽少許，略翻動，再煮約 5 分鐘即可起鍋。

秘　　訣： 煮菜時，先將醬油炒香，讓這一道菜更能增加香味，也是煮菜之秘訣之一。

知　　識： 菱角是淡水作物，水蛭、線蟲難免會附著在上面，不論是否帶殼，都必須煮到完全熟透，食用時比較安全。菱角仁甘澀，具清暑、止渴、安中、補中、補臟，以及解毒的功用。中醫所謂的「澀」，意指具收斂作用，所以也不能吃太多，否則容易腹脹，大便乾燥。

材　　料：
去殼菱角 600 公克
（1 台斤）
紅甜椒 1 個
皇帝豆 1 碗
鮮木耳半碗

調味料：
淡色醬油 1/2 茶匙
海鹽少許

和合家常

26

戒

殺放生，這是心性的問題，就是有沒有慈悲的問題。
　　　　　　　　　　　　　　——李炳南老居士

雙菇芥藍

（約 4~6 人份）

步　　驟：1. 洗淨所有材料。芥藍菜切約 4 公分長段，入滾水汆燙，用冷水漂涼，瀝乾水份，備用。柳松菇去根部。紅甜椒切絲。
　　　　　2. 麻油 1 大匙入炒鍋，待熱，放入薑末略炒，加入柳松菇、秀珍菇、紅甜椒絲，翻炒至軟（約 3 分鐘），加入淡色醬油、芥藍菜、海鹽等，翻炒均勻即可起鍋。

秘　　訣：　此道菜餚用麻油炒，可使口感增味不少。

變　　化：　亦可以高麗菜芽替換芥藍菜。

知　　識：　芥藍菜原產於中國南方，在廣東、廣西、福建等南方地區，是一種很受人們喜愛的家常菜。芥藍菜含纖維素、醣類等，其味甘、性辛，有利水、化痰、解毒、袪風的作用。

材　料：　　　　　調味料：
芥藍菜 1 斤　　　薑末少許
柳松菇 1 小盒　　麻油 1 大匙
秀珍菇 1 小盒　　淡色醬油 1/2 茶匙
紅甜椒半個　　　海鹽 1/2 茶匙

和合家常

28

肉之人，眾生見之，悉皆驚怖；修慈心者，云何食肉？
——《大乘入楞伽經》

香滷白菜

（約 4~6 人份）

步　　驟：　1. 洗淨大白菜，切大片。麵筋泡汆燙，撈起，用清水沖洗，瀝乾水份。香菇泡軟，瀝乾水份，切絲。

　　　　　2. 油 1/2 茶匙入炒鍋，待熱，放入薑末、香菇絲略炒，再加入醬油略炒香，再放白菜、麵筋泡、紅蘿蔔片、海鹽、糖，略翻炒數下，蓋上蓋子，用小火燜煮約 20 分鐘即成。

秘　　訣：　大白菜本身屬比較淡味菜，可加少許糖，有潤口之感。

知　　識：　白菜，在漢代稱為「菘」。三國時的《吳錄》載有「陸遜催人種豆、菘」；南北朝時，陶弘景說：「菜中有菘，最為常食。」古代的白菜葉子小，且不包心；到了宋代，菘逐漸易名為白菜。

材　　料：
大白菜 1 個
麵筋泡 1 碗
香菇 3 朵
紅蘿蔔片少許

調味料：
薑末 1 茶匙
醬油 1 大匙
海鹽 1/4 茶匙
糖 1/2 茶匙

和合家常

30

大家總是拿「人類自古就吃肉」作為繼續吃葷的藉口，
如果照這個邏輯來推論，那我們也不該阻止人類互相殘殺，
因為自古以來人類便一直這麼做。
——艾基克・辛格爾 （Isaac Singer，1978 諾貝爾文學獎得主）

豆豉草菇

（約 4~6 人份）

步　驟：1. 麵筋條洗淨，切丁。草菇洗淨，汆燙，瀝乾水份。九層塔去老梗，洗淨。辣椒洗淨，切小丁，備用。
2. 油 1 大匙入炒鍋，待熱，加入薑末、辣椒丁炒香，再依序先放入麵筋炒香，然後放入豆豉炒香，再放入草菇略翻炒，用小火燜煮約 5 分鐘（不用加水，並在燜煮中，可以開蓋翻動），徐徐倒入少許芡汁拌勻，最後加入九層塔，翻炒至軟即可起鍋。

秘　訣：　草菇經過汆燙後再烹調，可使其水份先釋盡，當與其他菜色搭配同煮時，不致因含水量過高，而影響整個菜餚之美味。

變　化：　亦可用乾豆豉替換濕豆豉，但因其表面含霉，要多洗幾次後方可使用。

知　識：　草菇的鐵質，在菇蕈類中排名第一；其他營養素，如維他命、菸鹼酸、鋅等含量也頗豐富，適宜炒、蒸、煮、燴；不過，有一點應特別注意，那就是——草菇只能熟食，不能生食！

材　料：
豆豉（濕）3 大匙
草菇 300 公克（半台斤）
麵筋條 1 條
九層塔半碗
小紅辣椒 2 個

調味料：
薑末半碗
芡汁少許

眾生不殺生，就沒有刀兵劫；
眾生若仍殺生，戰爭就永遠不會停止。
——宣化上人

百燴豆腐

（約 4~6 人份）

步　驟：1. 洗淨所有材料。水入鍋待滾，加入少許海鹽，放入油豆腐汆燙，撈起，切約 3x4 公分厚寬片狀。番茄切片。金針菇去根部，洗淨對切。鮮香菇切片。豌豆莢去老梗，汆燙（水中加入少許海鹽），備用。

2. 油 1 大匙入炒鍋，待熱，放入薑末爆香，加入香菇、番茄略炒，再加油豆腐、金針菇、海鹽、淡色醬油，略翻動，炒拌均勻，起鍋，洒上豌豆莢即成。

秘　訣：可用刀在番茄底部劃十字，再入滾水中汆燙，可去其表皮。做出來的菜，除感覺比較細緻外，又可去掉殘留於表皮上之雜質。

變　化：亦可先將油豆腐燜煮入味，或先煮透後，再加入其他材料同煮；不妨嘗試多種方法。

材　料：
油豆腐 4 塊
番茄 1 個
金針菇 1 小包
新鮮香菇 3 朵
豌豆莢少許

調味料：
薑末少許
海鹽 1/2 茶匙
淡色醬油 1 大匙

天

廚妙供味清涼　禪悅為食樂汪洋
法喜充滿周法界　飯已經行退密藏
　　　　　　　——宣化上人

雪菜豆干

（約 4~6 人份）

步　　驟：1. 豆干洗淨，切細丁。雪裡紅洗淨，切細段。蠶豆仁，對剝成兩片，汆燙。辣椒洗淨，切丁。

2. 油入炒鍋，待熱，放入薑末、辣椒丁炒香，加入豆干續炒香，加入雪裡紅、蠶豆仁、及海鹽、糖等調味料，炒透（約 2 分鐘），即可起鍋。

秘　　訣：　也可以加入少許香菜末，口感佳。

知　　識：　雪裡紅是芥菜醃製的。雪裡紅含胡蘿蔔素與多種維他命，能增進食欲、幫助消化。研究顯示，醃製菜比新鮮的蔬菜，保留了更多的維他命，但無法保持新鮮蔬菜中的多種營養。

材　　料：
五香豆干 5 塊
雪裡紅 600 公克
　　　（1 台斤）
蠶豆仁半碗
辣椒少許

調味料：
海鹽 1/4 茶匙
糖 1/4 茶匙
薑末 1 茶匙

寫

什麼暴躁，脾氣大？就因為吃肉，
因吃肉會增加欲念，使人瞋恨而沒有慈悲心。

——宣化上人

蔔乾豆包

（約 4 人份）

步　驟：
1. 材料洗淨，瀝乾水份備用。
2. 豆包用手抓成碎末狀，加入蘿蔔乾末、及所有調味料，再加入水 1 大匙，攪拌均勻。
3. 油 2 大匙入炒鍋，待熱，放入步驟 2.之材料，用鍋劑壓平，煎成兩面呈金黃色即可起鍋。

秘　訣：
1. 豆包用手抓碎，可以增加黏性。
2. 豆包末加入蘿蔔乾末後（步驟 2.），多攪拌，煎的時候，比較不會散開來。

知　識：
蘿蔔乾，俗稱「菜脯」，是將新鮮蘿蔔切小段後，經過醃製、蔭乾、曬乾等製作過程而成的。因其本身即具鹹味，在料理時，請斟酌是否要再加海鹽。凡遇肚子脹氣，或因壓力大而引起的消化不良時，可在吃飯時，搭配些蘿蔔湯、菜脯、陳皮乾、泡菜、仙楂片，或在飯中加一小匙茶油，有助胃腸通氣。

材　料：
豆包 2 片
蘿蔔乾末 4 大匙

調味料：
地瓜粉 1 茶匙
麵粉 1 茶匙

人類有種無窮盡的能力，使自己的貪婪合理化，
特別是與他想吃的食物有關時⋯。
——艾摩利（Cleveland Amory, 保護動物基金會理事長）

什錦滷味

步　驟：1. 洗淨所有材料。海帶切 2 公分寬。香菇泡軟，切大片。
2. 除金針外，將所有材料放入鍋內，加入所有的調味料，再加入蓋過材料的水量。用大火煮開，改小火燜煮 40~50 分鐘，最後加入金針，再燜煮 10 分鐘，即成十錦滷味。

秘　訣：1. 當小菜、便當菜兩相宜：可以煮一星期的量，以節省時間。
2. 也可以用電鍋蒸，外鍋加 2 杯水煮，當電鍋跳起時，再繼續燜 10 分鐘即可食用。

變　化：　可以隨意更換不同之材料，以達攝取均衡的飲食。

知　識：　用一畝地種牧草來養條牛，牠的肉，僅能供應 1 磅蛋白質；但用同面積的地種黃豆，可產出 17 磅的蛋白質！換句話說，我們如果吃肉，就需要 17 倍的土地，才能產出一畝地黃豆的營養份。

材　料：		調味料：
豆干	海帶	醬油
炸烤麩	油豆腐	糖
炸豆包	香菇	味噌少許
金針	炸麵筋袋	薑片少許
（視個人喜好及需求取量）		八角少許

夫素食為延年益壽之妙術，已為今日科學家、
衛生學家、生理學家、醫學家所共認矣！
而中國人之素食，尤為適宜。

——國父孫中山先生

雜糧米飯作法如下：

材　　料：　糙米 1 杯半　白豆半杯　大薏仁半杯

步　　驟：　1. 洗淨所有材料，用 2 倍水浸泡 30 分鐘，倒掉，再放入三杯半的水（若喜較軟可用四杯）於鍋內，外鍋放一杯半的水，用電鍋煮熟，並燜 30 分鐘，即成香 Q 好吃的糙米薏仁飯。

變　　化：　1. 一次可多買幾種雜糧，如：燕麥、喬麥、黃豆、黑糯米…，可經常變換以攝取不同養份。通常糙米放三分之二，其他食糧放三分之一，以一比二的比例搭配，吃起來的口感，香 Q 可口，又可同時攝取多種營養成份。
　　　　　　2. 水量可以總米量的杯數水，再多加一杯，煮起來的口感比較柔軟。

材　　料：

飯盒 1.
雜糧米飯　　滷味（請參考本書‧38 頁）
燙青菜　　　味噌麵筋（請參考本書‧14 頁）

飯盒 2.
雜糧米飯　　滷味（請參考本書‧38 頁）
燙青菜　　　葡乾豆包（請參考本書‧36 頁）或懷古豆豉（請參考本會出版之《菜根飄香》‧36 頁）

各位善知識！世界上最厲害的果報，就是殺生。

今早，有越南人帶了兩個小孩來見我，說身體不好，找我幫忙，令他們一切順利，如意吉祥。這兩個小孩子神經都不正常，我一看之下，就問他有沒有殺生。

他們的母親先說她沒有殺生，結果講來講去，說到他們門前有一棵大樹，當他們砍了大樹時，見到兩條蛇鑽到樹底下的窟窿裏去了，當時他們就用開水把這兩條蛇燙死。

之後，她的兒子就把自己關到房裏，幾天後出來，就發神經病了。第一個兒子是這樣，第二個兒子又是這樣，兩個都發神經病；他們希望我能把這事化解。這是因為殺生的關係！你看他們這麼殘忍！心裏那麼毒辣，一點慈悲心都沒有，見到蛇鑽到洞內，還要用開水把牠們燙死。這兩條蛇是兄弟，兩條蛇燙死了，兩兄弟也發神經病了。

所以世界上最大的業力，就是殺生，殺生的業報比什麼都重的。互相殘殺，互相報復，這是世界最悲慘的一件事。

——宣化上人

歡樂宴客

美味的別緻佳餚　是營造歡樂宴會的最佳得分點！！

Merciful Cooking
Joyful Tasting

總有那麼一天，人類會視宰殺動物如謀殺同胞一樣。

——達文西（Leonardo Da Vinci）

銀杏蒟蒻

（約 4 人份）

步　　驟：1. 洗淨所有材料。蒟蒻切 2x4 公分長條，備用。銀杏汆燙。鮮香菇切絲。甜豆
莢去老絲，汆燙，入冷水漂涼。枸杞洗淨，用熱開水泡 2 分鐘，瀝乾水份，
備用。
2. 油 1 大匙入炒鍋，待熱，放入香菇絲炒香，再放蒟蒻、銀杏入鍋內，略翻炒，
加水 1 杯，蓋上鍋蓋，用小火燜煮約 6 分鐘，加入海鹽拌勻，洒上甜豆莢、
枸杞、胡椒粉、淋上少許香油，即可起鍋。

知　　識：　　銀杏，又名白果，人類公認的「活化石」，起源於三億年前，是醫食俱宜的
乾果。中醫認為：白果是恢復記憶，和治療呼吸系統方面的良藥。西方醫學
發現：白果對高血壓、心腦血管疾病等方面很有助益。

材　　料：
蒟蒻 1 碗
鮮銀杏半碗
鮮香菇 5 朵
甜豆莢 1 碗（或蘆筍）
枸杞 1 大匙

調味料：
海鹽 1 茶匙
胡椒粉 1/2 茶匙

世

間水陸與靈空　總屬皇天懷抱中
試今設身游釜甑　方知弱骨受驚忡
　　　　　　　——唐・白居易

白果綠花

（約 4 人份）

步　驟：
1. 鮮白果汆燙。綠花椰菜洗淨，切成小瓣花汆燙，入冷水漂涼，撈起，瀝乾水分。白木耳洗淨，泡軟，分成小朵，備用。
2. 油 1 大匙入炒鍋，待熱，放入白木耳、白果、自製高湯（請參考本會出版之《菜根飄香》‧16～17頁）2 杯（或清水），用小火燜煮入味、白果熟透（可用手招一招，招的下去的程度即可），最後加入綠花椰菜、調味料，再續燜 2 分鐘即可起鍋。

秘　訣：　綠花椰菜經過熱開水汆燙，再入冷水漂涼，可保持鮮綠；再次煮時，也可保持一定的顏色。

知　識：　花椰菜，有綠色和白色兩種，含豐富的維他命 A、B 1、B 2、C、胡蘿蔔素及礦物質磷、鈣、鈉、鉀和少量的硒（Se 具有抗癌的功效，並可以預防心臟疾病和關節炎），有明目、利尿、利七竅之效。

材　　料：
鮮白果 1 包（約 100 公克）
（超市或素食材料店可買到）
綠花椰菜 1 顆
白木耳少許

調味料：
海鹽 1/2 茶匙
糖 1/2 匙

世
界上最大的業力就是殺生，殺生的業報比甚麼都重。

——宣化上人

金黃杏鮑菇

（約 4~6 人份）

步　　驟：1. 杏鮑菇洗淨切片，汆燙，備用。

2. 橄欖油入炒鍋，待熱，放入所有的調味料，攪拌均勻，加入步驟 1.之杏鮑菇，翻炒均勻即可起鍋。

變　　化：　亦可用鮑魚菇替換。

知　　識：　杏鮑菇因具有杏仁香味，故而名之。它含有人體所需的多種維他命、礦物質、胺基酸，並富含多醣、多肽等成份。長期食用，可調節人體新陳代謝，有降低血脂、膽固醇作用，還有調節血壓，提高人體免疫力，增強人體防病能力。

材　　料：
杏鮑菇 1 斤

調味料：
海鹽 1/2 茶匙
糖 1/2 茶
白醋 1/2 茶匙
番茄醬半碗
黑胡椒粉少許
醬油 1 茶匙

閒

步秋山趁晚晴　寒蟬斷續送凄聲
芒鞋踏處先當認　恐有螻蟻路上行
　　　　　　　──清・馬希眉

長年壽齋

（約 4~6 人份）

步　　驟：1. 芥菜仁洗淨，切 3 公分寬段，入沸水中汆燙，撈起，入冷水漂涼。蓮子洗淨，加 1 倍水，用大火煮開，小火燜煮熟。草菇洗淨，瀝乾水分。紅蘿蔔洗淨，切片。

2. 油 1 大匙入炒鍋，待熱，放入草菇略炒香，再放入所有的材料、調味料及自製高湯（請參考本會出版之《菜根飄香》‧ 16～17 頁）或水 2 杯，燜煮約 5 分鐘，徐徐倒入芡汁拌勻，淋上少許香油即可起鍋。

秘　　訣：　購買乾蓮子時，要選色澤自然，未經過漂白者為佳，或可選未去外衣之蓮子，易煮，口感佳。

知　　識：　中醫認為：蓮子可以養心安神，健腦益智，消除疲勞等，最忌受潮受熱；受潮容易蟲蛀，受熱則蓮心的苦味會滲入蓮肉。

材　　料：
芥菜仁 1 顆（約 600 公克）
蓮子半碗
草菇半碗
紅蘿蔔少許

調味料：
海鹽 1/2 茶匙
糖 1/2 茶匙
香油少許
芡汁少許

宥

命盡貪生　無分人與畜　最怕是殺烹　最苦是割肉
喉斷叫聲絕　顛倒三起伏　念此測肺肝　何忍縱口腹
　　　　　　　　　　　　　　　　　　——弘一法師

糖醋腰果

（約 4~6 人份）

步　驟：
1. 鳳梨洗淨，不去皮直切，取出果肉（留下外殼），果肉切成 3 公分片狀。麵筋條洗淨，切片。青椒洗淨，去籽切片。腰果裹上麵糊，入油鍋用小火炸成金黃色，撈起，瀝乾油份，備用。
2. 油 1/2 茶匙入炒鍋，待熱，放入麵筋條片，炒至金黃色，起鍋備用。
3. 將所有調味料加在一起，放入炒鍋拌勻，用小火煮開，放入青椒、鳳梨片、麵筋條、炸腰果，拌均勻即可起 1 鍋，盛入鳳梨殼中（或盤內），即可上菜。

秘　訣：　此道菜之特色是將腰果裹上麵糊油炸，可增色不少。

知　識：　腰果，又稱為介壽果，味甘，性平，含豐富的維他命、亞麻油酸、不飽和脂肪酸等，可保持血液循環通暢，對心臟病、腦中風、動脈硬化、心肌梗塞、高脂血症、癌症、乳汁分泌不足、容易疲勞、皮膚乾燥等情況極有助益。

材　料：
鳳梨 1 個
麵筋條 1 條
青椒 1 個
腰果 1 碗

調味料：
番茄醬 2 大匙
糖 1/2 茶匙
白醋 1/2 茶匙
海鹽 1 茶匙
（麵糊＝麵粉 2 大匙＋地瓜粉 2 大匙＋油 1 大匙＋水 4 大匙，加在一起，調均勻即成。）

鉤

簾歸乳燕　穴牖出凝蠅　愛鼠常留飯　憐蛾不點燈

——宋・蘇東坡

竹笙黃茸

（約 4~6 人份）

步　驟：
1. 黃茸洗淨，泡軟（約 4~6 小時或一夜，中間換水 2~3 次）去根部，分成小朵狀汆燙，瀝乾水分。竹笙洗淨，切段。蓮子、白果洗淨，加水 1 倍，用小火煮熟（約半小時）。 紅棗洗淨備用。

2. 油 1 大匙入炒鍋，待熱，放入薑末炒香，滴入淡色醬油略炒香，加入步驟 **1.** 之黃茸、紅棗、自製高湯（請參閱本會出版之《菜根飄香》‧ 16～17 頁）或水（蓋過材料），用小火燜煮約 30 分鐘（或蒸 60 分鐘，湯汁會比較清澈），再加入步驟 **1.** 的其他材料及調味料，略煮約 1 分鐘，起鍋，淋上少許香油即成。

秘　訣：黃茸要經過泡軟的過程，煮後才不致有苦味。可加少許當歸、川芎，另有一番風味。

知　識：紅棗其性溫，味甘、色赤，具有補氣，養血、生津潤燥、止咳、補五臟之功效，常用於治療肝炎、貧血、高血壓、脾胃虛弱、血小板減少等病症，具有很高的營養價值。

材　料：
乾黃茸150公克（4台兩）
竹笙半碗
蓮子半碗
白果（銀杏）半碗
紅棗半碗

調味料：
淡色醬油 1/2 茶匙
海鹽 1/2 茶匙
糖 1/2 茶匙
薑末 1 茶匙
香油少許

麟

為仁獸　不履蟲蟻　何吾人類　反不如獸

——弘一大師

翠玉合鬆

(約 4 人份)

步　　驟：1. 先準備好所有材料。生菜剝片洗淨，瀝乾水份備用。
　　　　　2. 油 1 大匙入炒鍋，待熱，放入香菇丁略炒，加入沙茶醬略炒，加入竹筍丁、豆干丁、荸薺丁、紅蘿蔔丁、海鹽，翻炒至所有材料煮透，起鍋，洒上松子即可包入生菜片內而食。

秘　　訣：此道菜看起來手續繁複，實際是很簡單，只要材料準備齊全，拌炒在一起即成宴客、家常兩相宜，不妨一試。

變　　化：亦可加入油條末，口感佳。

知　　識：荸薺又名馬蹄，原產於中國南方。荸薺營養豐富，並有諸多保健作用，諸如：抗癌、抗菌、利腸通便、生津止渴、利尿排淋、清肺化痰等，其性寒，不易消化，如吃太多，容易腹脹。消化較差者，或老人、小兒，不宜多食。

材　　料：
香菇丁半碗
熟竹筍丁半碗
豆干丁半碗
荸薺丁半碗
熟紅蘿蔔丁半碗
熟松子半碗
生菜（卷心萵苣）1 顆

調味料：
素沙茶醬 1 大匙
海鹽 1/2 茶匙

不單是佛教提倡戒殺放生，
中國的古聖先賢，亦多說戒殺放生的道理。
——李炳南老居士

芥菜腰果

（約 4 人份）

步　驟：1. 洗淨所有材料備用。芥菜仁切大片。

2. 將芥菜仁、皇帝豆，分別入沸水中汆燙，撈起，入冷水漂涼，瀝乾水份。草菇、美白菇去根部，瀝乾水份，備用。（炸腰果：冷油入鍋，即放入生腰果，用小火慢炸，變色即可起鍋，瀝乾油份即成。）

3. 油 1 大匙入炒鍋，待熱，放入草菇、美白菇略炒香，加入水 2 杯煮開，再放入芥菜仁、皇帝豆、海鹽略翻炒，徐徐倒入少許芡汁勾薄芡，起鍋入盤，洒上腰果、及少許香油即成。

秘　訣：　腰果可以不經過油炸，只要略烘焙、或略炒過即可食用。

知　識：　挑選腰果，以外觀呈完整月牙型，色澤白、飽滿、氣味香、油脂豐富，無蛀洞、及斑點者為佳；若有粘手或受潮現象者，表示鮮度不佳。腰果含有較多的油脂，腸炎腹瀉患者和痰多患者不宜多食。

材　料：
芥菜仁 2 顆
炸腰果 1 杯
草菇半杯
美白菇半碗
皇帝豆半碗

調味料：
海鹽 1/2 茶匙
香油少許
芡汁少許

肉

裏頭含有一種濁氣，它是由一種很污濁的東西生出來的，
所以人吃了不容易持戒，不容易開智慧，不容易證得三昧。

——宣化上人

禧菇劍筍

（約 4~6 人份）

步　　驟：　1. 劍筍洗淨，切小段汆燙，撈起，瀝乾水份。青江菜洗淨，切小朵汆燙，水中加少許鹽，撈起，瀝乾水份備用。鴻禧菇去根部，洗淨，備用。

　　　　　　2. 油 1 大匙入炒鍋，待熱。放入沙茶醬及醬油炒香，再入劍筍、自製高湯（請參考本會出版之《菜根飄香》‧ 16～17 頁）或水 2 杯，用小火燜煮約 5 分鐘，再加入鴻禧菇、紅、黃甜椒絲、嫩薑絲、海鹽，續煮約 3 分鐘即可起鍋。排入盤中，並以青江菜圍盤。

秘　　訣：　此道菜可宴客，亦可家常，加入沙茶醬口味更佳。

知　　識：　劍筍含有豐富的蛋白質、纖維、鐵、鈣、維他命等，其盛產期為每年的 3～4 月、8～10 月，其中的纖維可促進腸胃蠕動，幫助人體新陳代謝。

材　　料：

劍筍 300 公克（半台斤）

青江菜 300 公克（半台斤）

紅、黃甜椒絲各半碗

鴻禧菇 1 盒

調味料：

醬油 1/2 茶匙

海鹽 1/2 茶匙

沙茶醬 1 大匙

嫩薑絲 1 茶匙

天

地之大德曰生，世人之大惡曰殺生。

——古德

金 卷 彩 椒

（約 4~6 份）

步　驟：1. 洗淨所有材料。青、紅椒去籽，切約 2x4 公分寬長。麵筋條用手掰成大小適中。
　　　　2. 油 1/2 茶匙入炒鍋，待熱，放入薑片略炒香，加入麵筋條炒至微黃，再加醬油略炒，起鍋。水半碗入炒鍋，待滾，放入青椒、紅椒、海鹽，燜煮約 3 分鐘，加入已炒好之麵筋條，拌均勻起鍋，洒上炸腰果即成。

知　識：　蔬菜上沾染的農藥，主要是有機磷類殺蟲劑。清洗時，可先用水沖掉表面汙物，再用清水浸泡 30 分鐘，如此反複清洗浸泡 2～3 次，可清除絕大部分的殘留農藥。

材　料：
青椒 1 個
紅椒 1 個
麵筋條 2 條
炸腰果 1 杯

調味料：
海鹽 1/2 茶匙
薑片 2 片
醬油 1 茶匙

毛

道凡夫　火宅眾生　胎卵濕化　一切有情
善根苟種　佛果終成　我不輕汝　汝無自輕

——唐‧白居易

菇宴

（約 4~6 人份）

步　驟：1. 洗淨所有的材料。美白菇、珊瑚菇、鴻禧菇去根部，杏鮑菇撕粗絲。

2. 油 1/2 茶匙入炒鍋，待熱，放入酸菜絲炒香，再放入所有的材料，炒軟，加入海鹽，蓋上鍋蓋，燜約 3 分鐘即可起鍋。

秘　訣：　依酸菜絲的鹹度，可增、減鹽量。

知　識：　世上許多聞名的作家、藝術家、科學家、哲學家和教師，都是熱心的素食者，力薦素食的重要性。這些素食家有：愛因斯坦 、柏拉圖、蘇格拉底、沙士比亞、科學家牛頓 （萬有引力的發明者） ，法國哲學家盧梭與伏爾泰、佛蘭克林，英國詩人彌爾敦，科學家達爾文（進化論發明人），美國詩人愛默生、梭羅，英國詩人雪萊，諾貝爾獎得主，印度詩人泰戈爾，偉大的俄國作家托爾斯泰；英國名劇作家蕭伯納，印度領袖兼哲學家甘地，曾在非洲行醫多年的德國醫生及人道主義者史懷哲。

材　料：

美白菇 1 盒　　　珊瑚菇 1 盒

鴻禧菇 1 盒　　　杏鮑菇 2 個

蒟蒻絲半碗　　　芹菜段半碗

紅甜椒絲少許　　酸菜絲半碗

調味料：

海鹽 1/2 茶匙

切眾生無始生死,生生輪轉,
無非父母兄弟姊妹,猶如伎兒變易無常,
自肉他肉則是一肉,是故諸佛悉不食肉。
——《央掘魔羅經》

香酥麵筋

（約 4~6 人份）

步　　驟：1. 將所有調味料拌均勻，麵筋條洗淨，直切不切斷，再放入調味料中醃泡，使其入味（約 2 小時）。用牙籤橫叉，使其撐開。

2. 油入炸鍋待熱，將步驟 1. 的麵筋條先沾上麵粉，再沾地瓜粉，用中小火炸成金黃色，起鍋前大火一點，撈起，瀝乾油份，取出牙籤，切片，排入盤中即成。

秘　　訣：　油炸物在起鍋前，把火開大一點，可使油炸物酥脆、且較不易含大量油在食材上。

知　　識：　據史料記載，梁武帝蕭衍晚年提倡齋僧吃素。由小麥麩皮及麵粉中萃取麵筋，就始於梁武帝。當初稱麩，後來叫麵筋，是傳統寺院素食的「四大金剛」（豆腐、筍、蕈、麩）之一。

材　　料：
麵筋條 3 條

調味料：
醬油 2 大匙
海鹽 1/4 茶匙
烏醋 1/2 茶匙
辣椒少許
糖少許
麵粉半碗
地瓜粉半碗

般吃齋的人，購買作成雞鴨魚肉的黃豆製品，
就是還沒能忘情於肉味，總想試一試，就算吃假的也解饞，
也能把饞蟲騙一騙；佛教裏這種風氣，一定要改善。

——宣化上人

杏仁百合

（約 4~6 人份）

步　　驟：
1. 小黃瓜、黃節瓜洗淨，切片。新鮮百合洗淨，剝片，汆燙，撈起，瀝乾水份。枸杞洗淨備用。
2. 油入炸鍋待熱，用小火待油微溫，放入杏仁片翻炒，變微黃色即可起鍋，瀝乾油份。
3. 油 1 大匙入炒鍋，待熱，放入小黃瓜、黃節瓜、百合、海鹽，快速翻炒，至小黃瓜變成翠綠色即可起鍋，洒上枸杞及步驟 2.之杏仁片即成。

秘　　訣：　百合汆燙之後，加入食材中較不會變色。

變　　化：　黃節瓜亦可以白果或黃甜椒替代。

知　　識：　百合屬川百合的變種，是多年生草本植物。其地下莖塊，由數十瓣鱗片相累抱合，有「百片合成」之意，故而得名。中醫認為：百合有潤肺，祛痰、止咳、健胃、清熱利尿等功效。

材　　料：
小黃瓜 2 條
黃節瓜 1 條
新鮮百合 2 個
杏仁片半碗
枸杞 1 大匙

調味料：
海鹽 1/2 茶匙

病人的復元，比治病更重要。病體復元是依賴營養，
而不是醫藥所能奏效。因為植物中的營養豐富而直接，
所以病人絕對適宜於素食，而不宜肉食。

——台灣療養醫院創辦人・米勒爾醫師

吉祥豆包卷

（約 4~6 人份）

步　驟： 1. 豆包洗淨（不要弄破掉），瀝乾水份。香菇洗淨泡軟，切絲。海鹽、糖、胡椒粉混合，拌勻備用。麵粉加水 1/2 茶匙，調成糊狀。
2. 豆包小心打開，抹入混合好之調味料，以同方向捲起來，在封口處抹上麵糊。
3. 油 1 大匙入炒鍋，待熱，放入薑末、香菇絲炒香，加入醬油炒香，再入水 2 碗，將步驟 2.之豆包卷小心放入，用小火燜煮約 25 分鐘（中途可翻動一次）即可起鍋。

秘　訣： 這一道菜不經過油煎或油炸，但口感好，當宴客菜、家常菜或便當菜皆可。豆包是蛋白質的來源之一，不妨動手做做看，很簡單！

知　識： 挑新鮮香菇以圓胖為佳，大不見得就好，得挑選成熟（八分開）的香菇，才有好味道。成熟的香菇，中心厚、邊緣薄，甚至有些微內凹，只要符合這樣的條件，不論大小，都是好香菇。

材　料：
豆包 300 公克（半台斤）
香菇 3 朵
麵粉 1/2 茶匙

調味料：
海鹽 1/4
糖 1/4 茶匙
胡椒粉 1/4 茶匙
薑末 1/2 茶匙
醬油 1 大匙

殘

殺百千命　完成一襲衣　唯知求適體　豈無傷仁慈

——弘一大師

翠玉卷

（6 卷）

步　驟：1. 高麗菜葉洗淨汆燙，起鍋，入冷水漂涼，瀝乾水份，備用。金針洗淨，去硬梗。金針菇去根部，洗淨備用。

2. 油 1 大匙入炒鍋，待熱，放入香菇絲略炒香，加入木耳絲略炒，加入金針、金針菇、海鹽、糖炒約 2 分鐘，起鍋備用。

3. 步驟 2.之材料，包入步驟 1.之高麗菜葉內，捲起（如春卷），用地瓜粉抹在封口處，排入盤中，入蒸鍋蒸 10 分鐘，取出。

4. 炒鍋入水 1 碗待滾，加入少許海鹽、糖、香油、徐徐倒入少許芡汁拌勻，起鍋，淋在步驟 3.上面即成。

變　化：也可以加入少許桶筍絲（市面上所賣之熟筍），口感也不錯。

知　識：金針菇形似黃花菜（金針）而得名。金針菇含蛋白質高達 13・4%，其中含有 18 種人體必需胺基酸，尤以精胺酸、賴胺酸含量最為豐富。精胺酸、賴胺酸能促進記憶，開發智力，特別是對兒童智力開發有相當的效用。

材　料：
高麗菜葉 6 片
香菇絲半碗
木耳絲半碗
金針半碗
金針菇 1 把

調味料：
海鹽 1/2 茶匙
糖少許
地瓜粉少許
香油少許
芡汁少許

萬
物夭亡總痛傷　雖然蟲蟻也貪生
一般性命天生就　吩咐兒童莫看輕
　　　　　　　　——弘一大師

千巧卷

（約 4~6 人份）

步　　驟：1. 香菇洗淨泡軟，切細絲。平盤抹油，備用。
2. 油 2 大匙入炒鍋，待熱，放入香菇絲略炒，再加入醬油爆香，起鍋。其餘調味料、水 2 碗，用小火煮約 10 分鐘（剩 1 碗汁），甘草、八角撈起不要。
3. 將豆皮排好（上面 3 張，下面 2 張，平面相對，重疊成一圓形），淋入步驟 2.之食料及湯汁（湯汁要保持溫度），使每一張豆皮有濕度，香菇絲洒一些在內（不要太多）成長條形，從裏向上摺，再左右向內摺，再對摺（如春卷般，約 25x8 公分長寬），放入抹油的平盤內，入蒸鍋，用小火蒸約 20~25 分鐘，取出待涼，切 2 公分寬片，排入盤中即可上桌。

秘　　訣：乾豆皮買回來後，要在使用前才能打開封套，否則遇風或空氣即呈脆，易碎不能包摺。

變　　化：也可在蒸後，再煎或炸一下，會有不同之口感。

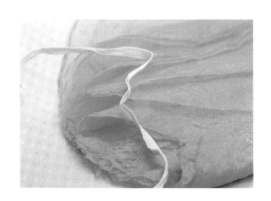

材　　料：
乾豆皮 5 片（半圓形 5 張）
香菇 5 朵

調味料：
麻油 1/3 大匙
八角 1/3 個
甘草 1 片
糖 1/4 大匙
醬油 1 茶匙
油 2 大匙

喜

氣溢門楣　如何慘殺戮　唯欲家人歡　那管畜生哭

——弘一大師

雙菇豆腐

（約 4~6 人份）

步　驟： 1. 洗淨所有材料。草菇對切。杏鮑菇切與草菇同大小。紅蘿蔔切圓片。豆腐切 1x4 公分厚寬，抹上少許海鹽，入平底鍋煎至兩面金黃色，起鍋，排入盤中備用。
2. 油 1 大匙入炒鍋，待熱，放入草菇、杏鮑菇、紅蘿蔔片、淡色醬油、水 1 碗，用小火燜煮至紅蘿蔔片熟，徐徐倒入少許芡汁勾薄芡，起鍋，淋在豆腐盤上即可上桌。

秘　訣： 豆腐抹少許鹽再煎，比較不粘鍋及不易碎掉，且又入味。

知　識： 豆腐不僅是味美的食品，還具有養生保健的作用。中醫書籍記載：豆腐，味甘性涼，入脾胃大腸經，具有益氣和中，生津潤燥，清熱解毒的功效，可用於赤眼，消渴，痢疾等症，並解硫磺及酒之毒。這些也都陸續為現代醫學所肯定。

材　料：
老豆腐 2 塊
草菇半碗
杏鮑菇 2 顆
紅蘿蔔半條

調味料：
海鹽 1/2 茶匙
淡色醬油 1/2 茶匙
芡汁少許

歡樂宴客

78

動物吃了種種化學的飼料，或經人注射科學藥物後，被人宰殺而食。這種肉在人體內產生種種不良變化，對人體造成傷害，於是產生癌症及其他種種不可名狀、無藥可治的怪病。

——宣化上人

雪鄉豆腐

（約 4~6 人份）

步　　驟：1. 洗淨材料 2.之所有材料。草菇切片（或整顆）。
　　　　　2. 花生仁洗淨，加水 3 杯半，入果汁機打成漿，倒入炒鍋（先不要開火），加入地瓜粉、在來米粉、海鹽 1/2 茶匙，開小火，用打蛋器攪拌至濃稠狀，再攪拌（約 8 分鐘）使其更有彈性，趁熱倒入平盤或洗好之器皿中，待冷卻定形，倒扣於盤內備用。
　　　　　3. 水 2 碗入炒鍋待滾，放入草菇、豌豆仁、玉米粒煮約 3 分鐘，加入海鹽 1/2 茶匙，徐徐倒入少許芡汁拌勻，起鍋，淋入步驟 2.內，洒上枸杞即成。

秘　　訣：1. 水量是關鍵，務必控制好，否則不易成型。
　　　　　2. 要多攪拌，比較有彈性，口感好。

知　　識：　過去一般的中式菜餚，喜歡用太白粉勾芡或增加口感，但太白粉可以放一、兩年不會壞，甚至蟑螂、螞蟻都不吃，可見…，建議您還是以地瓜粉或玉米粉來替代太白粉吧！

材　　料：
1. 去皮花生仁 150 公克（四兩）
　地瓜粉（優質）1/4 杯
　在來米粉 1/4 杯
2. 草菇適量
　豌豆仁 1 大匙
　玉米粒半碗
　枸杞 1 大匙

調味料：
海鹽 1 大匙
芡汁少許

不
論是對健康、對運動、對生活來說，
吃素都是絕佳的飲食方式。

——羅勃·米勒
（Robert Millar, 世界級職業自行車手）

宮爆素丁

（約 4 人份）

步　驟： 1. 麵筋條洗淨切丁，加入醬油醃泡 30 分鐘，入油鍋以中火炸成金黃色，起鍋，瀝乾油份，備用。花生仁洗淨，瀝乾水份，入熱油鍋，用小火炸成微黃色，起鍋，瀝乾油份備用。乾辣椒洗淨切段，備用。

2. 油 1/2 茶匙入炒鍋，待熱，放入乾辣椒爆香，加入少許醬油，再放入步驟 1. 之麵筋，拌勻起鍋，洒上油炸花生仁即成。

秘　訣： 油炸花生要注意火候，用小火慢慢炸，呈微黃色即可起鍋，否則就太焦黑，會有苦味。炸妥的花生要等冷卻後，才可洒上或與其他材料攪拌，否則花生會不脆。

知　識： 各種蔬果中，以辣椒所含的維他命 C 最高。紅辣椒最大的特點是纖維豐富和低熱量，加上本身含辣椒紅素及維他命抗氧化元素，多吃能延緩衰老，青春養顏！怕辣的人士可選吃燈籠椒，營養同樣很豐富。

材　料：
麵筋條 2 條
花生仁半碗

調味料：
乾辣椒 3~5 隻
醬油 1 茶匙

我

今哀告世人，不敢逼汝吃齋，且先勸汝戒殺。
戒殺之家，善神守護，災橫消除，壽算延長，
子孫賢孝，吉祥種種，難以具陳。

——蓮池大師

步　　驟：1. 洗淨所有材料，瀝乾水份備用。甜豆汆燙，入冷水漂涼。栗子加水煮熟，備用。香菇切片。蒟蒻汆燙。豆條入油鍋炸成金黃色，切 4 公分長段備用。

2. 油 1 大匙入炒鍋，待熱，放入鮮香菇、薑絲略炒，加入淡色醬油略炒香，放入豆條滷至入味，再入所有材料、海鹽、水 1 碗，燜煮 2 分鐘即可起鍋。

秘　　訣：　豆條也可以用豆包替換。

變　　化：　若再加入 2 大匙番茄醬、1/2 茶匙糖同煮，即成糖醋口味。

知　　識：　春秋戰國時期，栽種栗子已很盛行。中醫認為：栗子主益氣，補腎氣，但不可食用過量（吃到飽），否則傷腸胃。皮有光澤、果實飽滿的栗子為上品。

材　　料：
甜豆 300 公克（半台斤）
鮮栗子 1 碗
鮮香菇 3 朵
蒟蒻片半碗
紅棗半碗
紅蘿蔔片少許
豆條 2 條

調味料：
海鹽 1 大匙
淡色醬油 1 大匙
薑絲半碗

古代魏國有一位公主長得很美麗，她喜歡打扮，總是穿得很豪華。

她有一件用翠鳥羽毛繡縫的衣服，閃閃動人，遠看起來很像一位仙女。

有一天，她穿了這件衣服向魏太祖請安，魏太祖一看，就正色對她說道：「快把這件衣服脫下來給我，以後不許再用羽毛來做裝飾。」

公主笑說：「一件衣服用得了多少羽毛啊！」

皇帝說：「你是一國的公主，妳穿這樣的衣服，皇親貴族都會模仿；就連一般民女也可能會希望穿這樣的衣服。商人們只要有利可圖，就會想盡方法去捉鳥，以供應羽毛的需求，那時所殺的生命，就不計其數了。，窮究根源，就是由妳所引起的，這樣妳的罪過就很大了。」

陶然香湯

一盅熱湯
　食物的精華
陶然品味
　賞心又暖胃

Merciful Cooking
Joyful Tasting

世

間有漁翁　鷸蚌始相爭　若無殺生者　鷸蚌自相親

——弘一大師

蓮池海會

（約 4~6 人份）

步　　驟： 1. 洗淨所有材料。冬瓜去皮去籽，切大片。蓮子洗淨，入水煮熟備用。竹笙洗
淨切段，汆燙。金針菇去根部，對切。香菇泡軟，切絲。

2. 湯鍋入水煮開，放入冬瓜，用中火煮 15 分鐘，加入蓮子、竹笙、草菇、金針
菇、鮮香菇、薑絲、海鹽，再煮 5 分鐘即可起鍋。

知　　識： 蓮子自大暑開始，至立冬為止，陸續成熟。大暑前後採收的蓮子，稱為伏
蓮，也稱夏蓮，其養分足，顆粒飽滿，肉厚質佳；立秋以後採收的蓮子，稱
為秋蓮，顆粒細長，膨脹性略差，入口梗硬。

材　　料：
冬瓜 1 片（約 600 公克=1 台斤）
蓮子 1 碗半
竹笙 6 條
草菇半碗
金針菇 1 把
鮮香菇半碗

調味料：
薑絲 1 大匙
海鹽 1/2 茶匙

陶然香湯

88

在二千八、九百年時的中國與印度，未通消息。
佛教在印度，曾行放生；儒教在中，亦曾放生，
並非誰倡誰效，善道自然同耳！

——李炳南老居士

養生益氣湯

（約 4~6 人份）

步　　驟：　1. 麵筋袋切大丁，入油鍋炸成金黃色（或煎），撈起，瀝乾油份。
　　　　　　2. 將薏仁、芡實洗淨，泡一夜換水，加 2 倍的水煮沸，改小火煮約 40 分鐘，再加入蓮子、淮山及其它材料、調味料，用小火再煮約 30 分鐘。（唯有枸杞最後將起鍋時加入即可）

秘　　訣：　淮山亦可用鮮品，但不用先煮，只要在最後加入，略煮即成。

知　　識：　芡實是一種古老的食品，《周禮》中就記載了「邊籩之實」；明代《本草綱目》指出：芡實有補中、益精氣，開胃助氣、止渴益腎之功效。然而芡實無論是生食還是熟食，一次忌食過多，否則難以消化。

材　　料：
四神 1 杯（薏仁 1/4 杯、蓮子 1/4 杯、芡實 1/4 杯、淮山 1/4 杯）
當歸 2 小片
生腰果半杯
枸杞 1 茶匙
紅棗半杯
參鬚 3 條
麵筋袋（或麵筋條）1 個

調味料：
海鹽 1/2 茶匙

陶然香湯

90

能不食肉者，得不驚怖福。

——《佛說佛醫經》

五行湯

（約 4~6 人份）

步　　驟： 1. 洗淨所有的材料。白、紅蘿蔔去皮切大塊。玉米切 3 公分長段。香菇泡軟，擠乾水份切片。
2. 水入湯鍋煮沸，放入白、紅蘿蔔、玉米段、香菇，用大火煮開，改小火燜煮約 30 分鐘。起鍋前，用大火，放入豌豆嬰、海鹽拌勻，滴入少許橄欖油即成。

知　　識： 豌豆富含銅、鉻等微量元素。銅有利於造血，以及骨骼和腦的發育；鉻有利於醣類和脂肪的代謝，及維持胰島素的正常功能。豌豆中所含的膽鹼、氮氨酸，有助於防止動脈硬化；且豌豆中的維他命，更是豆類之首。

材　　料：
白蘿蔔 1 條
紅蘿蔔半條
玉米 2 支
香菇 5 朵
豌豆嬰適量

調味料：
海鹽 1/2 茶匙

陶然香湯
92

真的！人是一切動物的主人，
因為他的殘忍超過任何動物：以動物的死亡，
換取自己的生命，我們的身體，因此成了墳場。
——達文西（Leonardo Da Vinci）

五味羹湯

（約 4~6 人份）

步　　驟：
1. 洗淨所有的材料。大白菜切絲。金針菇去根部。香菇泡軟切絲。
2. 湯鍋加水，於冷水時放入竹筍絲待水沸，加入大白菜煮約 5 分鐘，加入金針菇、黑木耳絲、紅蘿蔔絲、薑絲，續煮約 3 分鐘。
3. 油 1 大匙入炒鍋，放入香菇絲炒香，倒入步驟 2. 之湯內，並加海鹽、胡椒粉，徐徐倒入少許荄水勾薄荄。起鍋時，洒上少許香油及香菜末即成。

秘　　訣：　竹筍在冷水時放入一起煮，可減少苦味。

知　　識：　鐵是不可缺的礦物質，它幫助血液攜帶氧至細胞。如果缺鐵，身體就得不到足夠的氧而造成貧血，人會覺得虛弱、疲倦甚至頭昏、健忘、思路遲緩不清。因此，要多吃青菜、黃豆、乾果、豆類、全麥麵包，以攝取足夠的鐵。

材　　料：
大白菜 1 個
竹筍絲 1 碗
金針菇 1 把
鮮黑木耳絲半碗
紅蘿蔔絲半碗
香菇 3 朵

調味料：
海鹽 1 茶匙
胡椒粉少許
香菜末（或芹菜末）1 大匙
薑絲半碗

陶然香湯

94

碗肉湯裏面含藏的怨恨，似海般深。說不盡的！
——宣化上人

半天香雲湯

（約 6 人份）

步　驟：　1. 洗淨所有的材料。豌豆莢去老絲，洗淨，汆燙，備用。半天筍去老皮。山藥去皮，洗淨，切 1x5 公分長段。

2. 水入鍋（蓋過材料的量），放入所有的材料、薑片，放入電鍋，外鍋放 1 杯水，切入電源燉煮，待跳起，加入海鹽、橄欖油拌均勻、放入豌豆莢即可起鍋。

知　識：　半天筍是檳榔樹的嫩心。檳榔是中國四大南藥之一，原產於華南一帶（含中南半島在內），隨著早期先民來台，檳榔入植台灣。檳榔雖具有獨特的禦瘴功能，有「洗瘴丹」的別名，但是吃檳榔容易患口腔癌，不可不慎。

材　料：
半天筍 1 支
紅棗 20 顆
巴西蘑菇 4 兩
山藥 600 公克（1台斤）
豌豆莢少許

調味料：
薑片少許
海鹽 1 大匙
橄欖油少許

鄙

視生命的人，不配擁有生命。

——達文西

玉潔冰清

（約 6~10 人份）

步　　驟：1. 天山雪蓮子洗淨，泡一夜換水，加一倍水煮熟，備用。百合洗淨，瀝乾水份，備用。
　　　　　2. 水入鍋（超過材料的量）煮滾，放入所有材料，待滾，用小火煮約 8 分鐘，加入原味冰糖，略拌至冰糖溶盡即成。

秘　　訣：雪蓮子經過一夜浸泡，可以減少烹煮時間。若用乾品百合，需經過浸泡一夜後再使用，可減少酸澀味。

變　　化：亦可加入白木耳同煮，可增色不少。

知　　識：白木耳又叫銀耳，是一種含有豐富胺基酸和多醣的膠質補品。它具有潤肺止咳、補腎健腦、健身嫩膚的功效，擅長補益肺氣，可以提高肺組織的防禦功能，提高機體的免疫能力，從而增強體質，達到抗衰老的作用。

材　　料：
桂圓肉半碗
天山雪蓮子半碗
日本冰心雪蓮半碗
（已處理過的）
鮮百合半碗

調味料：
原味冰糖半碗

陶
然
香
湯

凡

屬有知覺者，皆不宜食；雖無知覺，然有生機，
如各種蛋，亦不宜食。牛奶食之無礙，然亦取彼脂膏，
補我身體，亦宜勿食。

——印光大師

素香湯

步　　驟：
1. 洗淨所有材料。白蘿蔔、紅蘿蔔、素吉,切 5 公分大小。香菇泡軟,對切。青江菜切段。金針菇去根部,對切。高麗菜切大片。番茄切片。
2. 水入湯鍋,蓋過材料的量,放入所有調味料及番茄、白、紅蘿蔔、油豆腐,大火煮滾,改小火熬約 1 小時再放入素吉,續煮 5 分鐘即可。

變　　化：
材料可隨個人喜好更換,只有沙茶醬、豆瓣醬、薑、番茄是固定的,但量的多少可依各人喜好隨意調整。亦可先將黑麻油用薑片炒香後,和其他材料同時煮;又可燙些麵條放入湯中,即成素香湯麵。

知　　識：
煮紅蘿蔔時,不要削皮較好;因為整顆紅蘿蔔都含有豐富的胡蘿蔔素,且紅蘿蔔的皮吃起來比肉鮮甜,所以連皮吃不會有苦澀味且更營養。

材　料：

白蘿蔔 1 條	紅蘿蔔半條
素吉 2 條	香菇 6 朵
金針菇 1 把	高麗菜半個
番茄 1~2 個	
油豆腐 300 公克（半台斤）	
青江菜 600 公克（1 台斤）	

調味料：

沙茶醬半碗
豆瓣醬半碗
薑片少許
滷包 1 包

陶然香湯

100

彌

勒菩薩法王子　從初發心不食肉
以是因緣名慈氏　為欲成熟諸眾生
　　　　——《大乘本生心地觀經》

黃茸靚湯

步　　驟：
1. 黃茸泡水 1 天，洗淨（黃茸很多沙子，要洗得很乾淨）。榨菜洗淨，切片。麵線瓜（或冬瓜）洗淨切塊。小朵花菇洗淨，泡軟，竹笙以鹽水泡開，切段洗淨。
2. 將所有材料、高湯（請參考本會出版之《菜根飄香》‧16~17 頁）入燉盎，燉 2 小時，調料即可。

知　　識：　在戰爭的經濟壓力下，人們不得不吃素食，他們的健康卻戲劇化地改善了。第一次世界大戰期間的丹麥，由於英國的封鎖，食物奇缺，所以丹麥政府指定國家素食協會指導員，指導食物分配的計劃。這位指導員寫道：「主食為夠一餐吃的麵包，少量麥片粥、馬鈴薯、蔬菜、牛奶和一些奶油。」牛肉非常昂貴，只有少數極富有的人才買得起。因此很顯然地，舉國上下大部份的人必須以蔬菜和牛奶為主食。在食物分配計劃的第一年，死亡率下降了百分之十七。死亡人數比丹麥有史以來最低的紀錄少了六千三百人。

材　　料：
黃茸 5 朵
麵線瓜（或冬瓜）1 顆
榨菜 1 個
小朵花菇 10 朵
薑 3 片
竹笙適量

調味料：
冰糖 1 小顆
海鹽少許
高湯適量

1945 年，
美國在日本的廣島和長崎投下兩顆原子彈，
將長達 9 年的第二次世界大戰畫上句點。
這兩座日本南部繁華大都市，
在原子彈爆炸後，頃刻成為死城。
奇怪的是，
當時兩地的牛隻卻極少死傷。

後來，在原子彈試爆的美國軍艦上，
發現用來試驗的羊群，
竟然幾乎沒有一隻羊因承受輻射線而死亡。

研究證實：
牛、羊都是草食動物，
草中的鉀元素，對原子彈爆炸的輻射線有強力的抵抗力。
任誰也沒想到，
「素食」竟是核子浩劫中最有效的防禦裝甲。

麵

面俱到

Merciful Cooking
Joyful Tasting

麵食是方便的代名詞
麵食的變化極多
集菜、湯、麵於一體
我們擇巧呈現

麵面俱到

104

普

賢大士調眾味　觀音菩薩任天廚
文殊彌勒同應供　清淨大海飯食忙
——宣化上人

懷鄉麵線糊

（約 4~6 人份）

步　　驟：
1. 香菇洗淨泡軟，切絲。素絲泡開洗淨，擠乾水份，入醬油醃泡。金針菇洗淨，高麗菜洗淨切絲。
2. 油 1 大匙入炒鍋，待熱，放入素絲，炒呈金黃色，加入香菇絲、木耳絲、紅蘿蔔絲略炒，再入醬油、玉桂粉、烏醋、水，略炒，起鍋備用。
3. 湯鍋入水，煮滾，放入高麗菜絲，大火煮開改小火燜軟，加入麵線（先用水洗），待滾，加入步驟 2.及金針菇，再淋芡汁勾芡拌勻即可。食用時，放入芹菜末（或香菜末），可增色、香味。

知　　識：
碘對甲狀腺的功能非常重要。甲狀腺調節人體的成長與新陳代謝，缺碘會造成疲勞、低血壓、體重容易增加等，嚴重時還會造成甲狀腺腫大。海菜含多量碘質；另，在菠菜、蘿蔔內也有碘質存在。

材　　料：		調味料：
紅麵線 1 斤	香菇 5 朵	醬油半碗
高麗菜半個	木耳絲 1/4 碗	烏醋 1 大匙
素絲（泡開）1 碗	金針菇半包	玉桂粉少許
紅蘿蔔絲 1/4 半碗		
芹菜末（或香菜末）2 大匙		

若 要把這世界真正消毒，就要大家吃素，不吃肉。

——宣化上人

蘿蔔絲淋餅
＋ 小米粥

（約 4~6 人份）

步　　驟：
1. 小米洗淨，放入 8 杯水，外鍋 1 杯水，切入電源，待跳起，即可取出。
2. 油 1 大匙入炒鍋，待熱，將香菇絲、白蘿蔔絲、紅蘿蔔絲炒香，起鍋，置涼；拌入麵粉、香菜末、芹菜末、調味料、水 1 杯半至 2 杯，調均勻成糊狀。
3. 油入炒鍋（或不沾鍋），放入步驟 2.，煎成兩面金黃色即可起鍋。（煎成一大片後，再切小片；或用少量，分次煎成小片。）食用時，依個人口味，可沾番茄醬或甜辣醬。

知　　識：
一般人擔心吃素會營養不良；其實蔬菜、水果、堅果、豆類、五穀雜量之中，已含足夠的蛋白質、脂肪、澱粉、礦物質、維他命，只要懂得搭配使用，就不怕缺乏任何一種營養。

材　　料：
小米 2 杯
白蘿蔔絲（約 1 條）
紅蘿蔔絲（約 1/5 條）
香菇絲半碗
麵粉 2 杯
香菜末半碗
芹菜末半碗

調味料：
海鹽 1 大匙
醬油 1/2 茶匙
胡椒粉 1/2 茶匙

在
自性中，常常要生智慧，不要愚癡；
你殺生就是愚癡，不殺生即有智慧。
——宣化上人

東北烙餅

(4 片)

步　驟：
1. 麵粉放入鍋內，先用熱開水將 2/3 麵粉和成糰，再用冷水將 1/3 麵粉和成糰，再將兩者合成一糰，揉到麵糰柔軟又不粘手為止；置鍋內，用濕布蓋上麵糰醒麵，至少 2 小時以上。
2. 將醒麵過的麵糰再揉一會兒，分成 4 小塊。
3. 將小塊的麵糰擀成薄片後，洒入少許海鹽、香油，塗抹均勻，再洒上一層薄薄的乾麵粉；之後，捲成長形，再由長形捲成一糰，再醒麵約 10 分鐘。
4. 將步驟 3.用桿麵棍擀成約 0.5 公分厚。
5. 平底鍋入油待熱，放入步驟 4.，煎至兩面呈金黃色即可起鍋。

秘　訣：　在煎的過程，用鍋鏟或筷子，由餅的左右向內擠，使其鬆軟有彈性。

變　化：
1. 可以在抹入香油後，再加入芹菜末或香椿末，可有多種不同的口味變化。
2. 可以糖、芝麻替代海鹽，即成香甜口味。
3. 可以白麵粉、全麥麵粉，各一半作成的麥餅，口感不錯，營養更豐富。

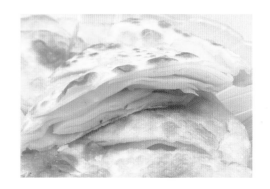

材　料：
中筋麵粉 3 碗
熱開水 1 碗
冷水半碗

調味料：
海鹽 1 茶匙
香油適量

我

肉眾生肉　名殊體不殊　原同一種性　只是別形軀

——宋·黃庭堅

義大利麵

（2 人份）

步　驟：
1. 青椒、西芹、紅番茄都洗淨，切細丁。
2. 橄欖油 1 茶匙入炒鍋，待熱，放入腐皮末炒香，起鍋。
3. 橄欖油 1 茶匙入炒鍋，待熱，放入紅番茄丁炒香，入洋菇片、西芹、青椒、腐皮末、月桂葉、調味料等，加入蓋過材料的水，用大火煮滾，改小火燜煮約 20 分鐘，起鍋備用。
4. 水入大鍋燒開，加入 1/2 茶匙海鹽，放入麵條，用筷子攪拌，再改用中火邊煮邊攪拌，中途可加入少許冷水，再煮至麵條約 2 倍大（約煮 10~12 分鐘，或可參考包裝上之烹煮方法），撈起入盤，淋上步驟 3.之麵醬，洒入少許黑胡椒粉即可。

變　化：　喜歡有點辣味者，也可以加入黑胡椒粉，或加一些辣椒入步驟 3.內同煮。

知　識：　家庭中最實用簡便的貯存法，就是將蔬菜放入冰箱冷藏，如果冰箱容量有限，可把容易腐敗和老化的葉菜類，及較鮮嫩的蔬菜（如蘆筍、竹筍等）先行放入冰箱；食用順序，也以不耐貯放者優先為宜。

材　料：
意大利麵條 2 人份
炸腐皮末半碗
青椒半個
西芹半片
紅番茄 2 個
洋菇片半碗

調味料：
橄欖油 2 茶匙
淡色醬油 1 茶匙
糖 1 茶匙
月桂葉 1 片
番茄醬少許
黑胡椒粉少許
海鹽 1/2 茶匙

麵面俱到

112

近來世界人民遭難，殺劫之重，皆是果報所遭；
每每勸世人要戒殺放生，吃齋念佛，
也就是要大家免遭因果輪迴之報。
諸位！須當信奉種種善因，成就佛果。

——虛雲老和尚

酢 醬 乾 麵

步　　驟：1. 小白菜洗淨，切段備用。

2. 水入湯鍋煮滾，放入麵條，用筷子撥開，待麵浮至水面，再煮約 1 分鐘，撈起，入大碗，加自製酢醬調勻，小白菜氽燙加入即可。

炸醬作法：

材　　料：　炸腐皮 225 公克（6 台兩）　五香豆干 300 公克（半台斤）　香菇 5 朵
醃製芥菜頭（大賣場或農產品行可買到）半個

調 味 料：　醬油 1 大匙　紅糖 1 大匙　味噌半碗　豆瓣醬半碗

步　　驟：1. 乾香菇洗淨，泡開，切細丁。五香豆干、芥菜頭，都洗淨切細丁。腐皮氽燙，切細末備用。

2. 分別用油 1 大匙入炒鍋，待熱，各別將腐皮末、五香豆干丁放入，炒至金黃色起鍋。油 1 大匙入炒鍋，待熱，放入香菇丁炒香，入醬油略炒，再加入已炒好的腐皮末、五香豆干丁、芥菜頭丁，及紅糖、味噌、豆瓣醬和水（蓋過材料的量），用小火燜煮約 30 分鐘，起鍋待涼，分裝入冷凍庫冷凍，可保存約 1 個月。（食用前再退冰加熱，即可。）

材 料：
手工拉麵 2 人份
小白菜 4 顆

調味料：
自製酢醬 4 大匙

中

國人所常飲者為清茶，所食者為淡飯，而加以菜蔬豆腐
，此等食料為今日衛生家所考得最有益於養生者也；
故中國窮鄉僻壤之人，飲食不及酒肉者，常多上壽。
——國父孫中山先生

香煎包子

步　驟：　1. 外皮－發麵（請參考《菜根飄香》→基礎篇→基本發麵・23 頁作法。）

2. 內餡－高麗菜洗淨，入沸水中氽燙，撈起待涼，切 1 公分小塊，置於盆中再加入海鹽、糖、黑麻油。豆包煎成兩面金黃色，切 1 公分大小，放入高麗菜盆中。香菇洗淨泡軟，切 1 公分大小，備用。炒鍋加入 1 大匙油，待熱，放入香菇丁炒香，再加入醬油炒香，起鍋，放入高麗菜盆中，加入紅蘿蔔末拌均勻即成內餡。

3. 麵糰分成大小適中，用桿麵棍擀成圓薄片，把步驟 2.之內餡放入包好，用手壓成扁圓形（或捏成縐摺形）。

4. 油 1 大匙入平底不沾鍋內，將步驟 3. 之包子平鋪於內，加入用 2 大匙麵粉調成的水，水量是包子的二分之一高，蓋上鍋蓋，用中火煎約 7 分鐘，打開蓋子（改小火），沿鍋邊淋入少許油，並在每一個包子上面洒些白芝麻，再蓋上蓋子，再煎約 2 分鐘，即可起鍋。

秘　訣：　發麵要發透，煎的時候要注意火候。

材　料：

外皮－

中筋麵粉 300 公克（半台斤）

全麥麵粉 300 公克（半台斤）

酵母粉 1 大匙　　溫水 2 杯半

內餡－

高麗菜 1/4 個　　豆包 3 片

紅蘿蔔末 1 大匙　香菇 5 朵

調味料：

海鹽 1/2 茶匙

糖 1/4 小匙

黑麻油 1 大匙

醬油 1/2 茶匙

產

一磅肉，要用一個家庭一個月的用水量。

——約翰·羅彬斯 (John Robbins)

堅果饅頭

步　驟：　請參考本會出版之《菜根飄香》→基礎篇→基本發麵‧23 頁作法，麵糰發至
　　　　兩倍高，再將材料 2.一起揉入，分成 20 個，搓揉喜好之形狀，排入蒸籠（用
　　　　濕布鋪底），待其發至 2 倍大。水煮開後，放入蒸籠，以大火蒸約 15 分鐘即
　　　　成。

祕　訣：　一次可多做一些，待涼，置冷凍庫冷凍（可保存約一星期），以供需要時，
　　　　蒸熱即可。

知　識：　食物是越接近自然的狀態，愈具營養價值。煮食過久，許多維他命及養分，
　　　　會完全破壞；因此，儘可能在食物最新鮮、天然，最富生命與能量時食用之。

材　料：

1. 中筋麵粉 300 公克（半台斤）　　2. 腰果少許
　全麥麵粉 300 公克（半台斤）　　　核桃少許
　紅糖 1 大匙　　　　　　　　　　　松子少許
　海鹽少許　　　　　　　　　　　　葡萄乾少許
　酵母粉 1 大匙　　　　　　　　　　枸杞少許
　溫水 2 杯半

在古時候，有一個叫做黃德環的員外，他家很富裕，有一天黃員外家中的廚房一片囂嚷聲：「啊！快捉住！放到鍋中！快啊！」

黃員外聽到後，以為發生了甚麼事情，趕緊到廚房看看。一進廚房，就看到一隻鼈在地上緩緩爬行，看起來很可憐！黃員外問廚師為甚麼要大聲驚嚷？

廚師說：「本來想烹鼈給您吃，誰知道牠浮仰抓著箸笠，背都被熱氣蒸爛，但是四隻腳和頭都可以伸縮，還能偷偷爬走逃命，所以我們才大叫。」

黃員外聽了，立刻叫人將鼈放回水中，從此不吃鼈，而且堅決素食。

有一年，黃員外得了熱病，病勢沈重，已到病危程度，他的家人將他搬到河邊木屋休養。

一天夜裡，黃員外覺得身上有東西在慢慢爬，當時覺得身上很清涼。天亮的時候，黃員外感覺胸前舒暢很多，動一動身，在胸前發現有好多淤泥，再往下一看，在地上有一隻鼈，牠向黃員外點了三個頭後，才慢慢爬走。第二天，黃員外的病一下子完全好了。這次，如果沒有奇蹟出現，黃員外恐怕早就死了，因此，黃員外要家人們從此禁殺。之後，黃員外到了八十歲無疾而終。

留香糕點

Merciful Cooking
Joyful Tasting

是脣齒留香的美食
是清心悅性的佳點
來一壺雨前龍井吧

世
間生死流轉，怨結相連，墮諸惡道，皆由食肉。
——《大乘入楞伽經》

蜜汁地瓜

步　　驟：　1. 將番薯去皮，洗淨備用。
　　　　　　2. 將所有的調味料放入鍋內，用小火煮均勻。放入小番薯，蓋上蓋子，用小火燜煮約 30 分鐘即可（要隨時翻動，使糖可裹住每一面）。

秘　　訣：　番薯去皮後，要馬上放入水中，以免外皮氧化變黑。入鍋前，再削掉變黑部位，成品顏色會較美。

變　　化：　也可以用小芋頭試試。如果買不到小番薯，可用大的，去皮後切成粗條狀使用。

知　　識：　維他命 A 對眼睛很重要。缺乏維他命 A 會導致夜盲症，或夜間視力困難、視力疲勞。常從事消耗眼力的工作，必須攝取大量維他命 A，否則會損壞眼力。維他命 A 對皮膚、頭髮、呼吸道的健康也非常重要。食物中維他命 A 最豐富的來源是紅蘿蔔，此外在綠葉青菜、地瓜、菜花、南瓜、杏也都含有維他命 A。

材　　料：
小番薯 1200 公克（2 台斤）

調味料：
紅砂糖 1 杯
紅糖半杯
麥芽 1 大匙
白醋 1/2 茶匙
烏醋 1/2 茶匙
醬油 1/2 茶匙
水 1 杯

吃素以後，他們會和平、健康地活到高壽，
並且把類似的生活方式傳給後代子孫。

——蘇格拉底

綠茶酥餅

（40 個）

步　驟： 1. 將油皮之材料加在一起揉均勻，再拿起來甩到有彈性（約 5 分鐘），蓋上蓋子，置陰涼處醒麵約 10 分鐘。

2. 油酥的材料加在一起，拌均勻即可，蓋上蓋子，置陰涼處醒麵約 10 分鐘。（不可甩，也不可揉，只要拌均勻即可）

3. 將步驟 1.之油皮和步驟 2.之油酥各分成 40 份。

4. 再將油酥包入油皮內（步驟 2.包入步驟 1.內）即成外皮，備用。

5. 將步驟 4.的外皮壓平，並用桿麵棍擀成長條狀，從一端捲起，再壓平擀成長條狀，一樣捲起來，再壓平擀成圓型狀，包入豆沙內餡，用手的虎口，慢慢平均用小力收口，作成自己喜愛的形狀，並可在上面刷上楓糖或果糖，及洒上少許芝麻，即可放入已預熱好（200 度預熱 5 分鐘）的烤箱內，用 200 度烤 20 分鐘即成。

秘　訣： 烤箱不同，烤的時間及溫度也會不一樣，故視個人之烤箱，自行調整。

變　化： 內餡可以自行變化，例如改成蘿蔔絲…即成鹹的口味。

材　料：

外皮－1.油皮：中筋麵粉 350 公克
　　　　　　　白油（或酥油）130 公克
　　　　　　　溫水 1 杯（180cc）（約 40 度）
　　　2.油酥：低筋麵粉 300 公克
　　　　　　　白油（或酥油）120 公克

內餡－豆沙 600 公克（1 台斤）
　　　（烏豆沙、紅豆沙、綠豆沙、白豆沙，任選一種）並分成 40 個

出家以來，每年力行放生，當以佛教慈悲，儒宗惻隱，
而作護生運動，實為天下無上吉祥善事。

——圓瑛法師

可口粉卷

（約 4~6 人份）

步　驟：
1. 綠蘆筍洗淨、紅蘿蔔去皮洗淨，切 1 公分正方長條，分別入開水中（加入少許鹽）汆燙，撈起，瀝乾水份待涼。小黃瓜洗淨，切約 1 公分正方長條。
2. 河粉皮、燒海苔片、素鬆、小黃瓜條、紅蘿蔔條依序排入，捲起來，切成小段即可食用。

秘　訣　在捲起來的時候，稍微用一點力拉緊河粉皮，比較有口感。

知　識：市面上的蔬菜大多數都灑上清水，一般以為可收新鮮效果。其實，蔬菜離開泥土之後，水份對它新鮮程度的意義是不大的。反而乾爽的蔬菜，更能保持營養，存放時間也較長久些。

材　料：
小黃瓜 2 條
紅蘿蔔半條
燒海苔片 4 片
河粉皮 4 片（或粿籽條）
綠蘆筍 300 公克（半台斤）

調味料：
素鬆
無蛋沙拉醬

觀　肉所從來　出處最不淨　膿血和雜生　屎尿膿涕和
　　　　　　　　　　　　　　　　　　——《大乘入楞伽經》

三絲雲卷

（約 4~6 人份）

步　驟：1. 洗淨所有材料。芋頭去皮洗淨，切細絲，入油鍋微炸起鍋。金針菇去根部。
　　　　　 紅蘿蔔去皮，切細絲。香菇泡軟，瀝乾水份，切細絲。
　　　　2. 油 1 大匙入炒鍋，待熱，放入香菇絲略炒，加入所有材料、調味料拌炒均勻，
　　　　　 備用。
　　　　3. 河粉皮打開，將步驟 2.鋪入，鋪在一邊並捲起，置入蒸籠，蓋上溼棉布（或
　　　　　 沙布）備用。
　　　　4. 蒸鍋待水開後，放入步驟 3.蒸約 5 分鐘，取出，切段，排入盤中即可上桌。
　　　　　（蓋上溼布再蒸，可以讓河粉皮更柔軟。）

變　化：　請參考本書可口粉卷・124 頁。

知　識：　維他命 C 在人體內有多種功能，其中之一是幫助形成連結全身細胞的一種水
　　　　　 泥狀物質。如果這種物質很充足，就可防止毒素、病原體、細菌等進入細
　　　　　 胞；反之，維他命 C 缺乏，細胞壁就會變弱，致使許多有害的物質侵入。維
　　　　　 他命 C 的最好來源是柑橘類水果，如柳橙、檸檬、葡萄等。另外，番茄、青
　　　　　 椒、綠色蔬菜等也都是維他命 C 的好來源。

材　料：
芋頭 1 條約 600 公克
　　　　　　　　　(1 台斤)
金針菇 1 把
紅蘿蔔 1/4 條
香菇 3 朵
河粉皮 2 片

調味料：
胡椒粉少許
淡色醬油 2 大匙

當 我們的身體是被宰殺動物的活動墳場時，
我們怎能期望這個世界能有理想的境地？
——托爾斯泰

沙拉手卷

步　驟：
1. 洗淨所有材料，瀝乾水份，備用。小黃瓜切粗條狀。蘆筍去老梗，入滾水中汆燙，用冷開水漂涼，瀝乾水份，備用。
2. 取一片燒海苔片，對摺成三角形，裁割成二片三角形海苔片。
3. 取一片三角形海苔片，洒入少許三寶粉，依序，放入苜蓿芽、豌豆苗、小黃瓜條、蘆筍、紅甜椒絲、紫高麗菜絲、擠入少量無蛋沙拉醬、放入幾顆葡萄乾，將海苔片捲起，最後用少量無蛋沙拉醬封住即成。

變　化：
1. 也可以在外層用全麥春卷皮，再放一整張的燒海苔，再依序將材料排入，捲起，再切成 2 段，吃起來有滿足感。
2. 也可以將蘋果、鳳梨等水果切成條狀包入，口感佳。

知　識：　蔬菜切塊勿太細小，可減少養分於切口處流失，及因與空氣接觸而造成的氧化。切塊後，最好馬上烹調。

材　料：
苜蓿芽 4 兩
豌豆苗少許
紫高麗菜絲少許
小黃瓜 2 條
蘆筍半斤
紅甜椒絲少許
燒海苔片 1 包

調味料：
三寶粉（大豆卵磷脂、
啤酒酵母粉、小麥胚芽）
葡萄乾
無蛋沙拉醬

千

百年來碗裏羹　冤深似海恨難平
欲知世上刀兵劫　但聽屠門夜半聲
　　　　——願雲禪師

大地艾草粿

（約 20~25 個）

步　驟：
1. 新鮮艾草洗淨，入沸水汆燙，撈起，待涼，擠乾水份，剁成末（或艾草粉 3 大匙），加入糯米粉、麵粉、糖一起揉成糰，若太硬可加些水再揉，揉至均勻有彈性。分成 20 等份備用。
2. 乾蘿蔔絲洗淨，切段。麵筋條洗淨，切細絲。香菇洗淨泡軟，切細絲。
3. 炒鍋入 2 大匙油，待熱，加入麵筋條絲，炒至金黃色，加入香菇絲炒香，加入醬油，再炒香，最後加入乾蘿蔔絲、胡椒粉、海鹽、糖同炒至均勻即可起鍋備用。
4. 將步驟 1.的外皮，取一分，壓成扁圓，再將步驟 3.包入，捏成喜好的形狀，底部抹少許油，用葉子（可用柚子葉，或粽葉修剪成）墊底（依此作成 20 個），入蒸鍋蒸 30 分鐘即可起鍋。

秘　訣： 中途開蓋一次，使之透氣，會更有彈性，更容易蒸透；若表皮有點乾燥，可噴點水後再蒸。

材　料：

外皮：糯米粉 1 包 （600 公克）
　　　中筋麵粉 1 杯
　　　艾草 1 斤（或艾草粉 3 大匙）
　　　粽葉（或柚子葉）20 小片
　　　糖半杯（外皮用）
內餡：乾蘿蔔絲 2 兩
　　　麵筋條 2 條
　　　香菇 3 朵

調味料：

糖 1 茶匙
胡椒粉 1/2 茶匙
海鹽 1/2 茶匙
醬油 1 茶匙

海

不厭深　山不厭高　積德行仁　鷗鳥可招

——弘一大師

喜悅碗粿

（約 12 碗）

步　　驟： 1. 香菇洗淨泡軟，切丁。番茄洗淨，切丁，加少量味噌、糖略拌勻，放入電鍋
蒸 5 分鐘，備用。
2. 油 1 湯匙爆香薑末，入香菇丁炒香，續入醬油膏，水 7 杯煮開。
3. 粘米粉（再來米粉）、糯米粉、海鹽、胡椒粉，放鍋內，以 3 杯半水調勻。
4. 待步驟 2.煮開時，倒入步驟 3.，以小火慢慢煮成濃汁（邊煮邊攪拌）。
5. 豆干洗淨切碎。蘿蔔乾洗淨，切末。
6. 在蒸鍋內排好飯碗，待水滾，將濃汁分裝於碗中，以大火蒸 10 分鐘後，掀開
鍋蓋，在每碗中放入少許步驟 5.，續蒸 5 分鐘，以筷子插入，若無生料即可。
7. 做好的碗粿，可隨喜好加入醬油膏、甜辣醬，再淋上步驟 1.之番茄醬即可。

變　　化： 也可以做成甜味碗粿：
（1）水 7 杯煮滾備用。（2）粘米粉（再來米粉）、糖 300 公克（半台斤）、
糯米粉，放入鍋內，以 3 杯水調勻。（3）將步驟 1.之滾水加入，並以小火邊
煮邊攪拌成濃汁，再如以上步驟 6.之作法（不用加其它食料），蒸熟即可。

材　　料：

粘米粉（再來米粉）1 磅
（455 公克＝７兩半台兩）
糯米粉半湯匙
香菇 3 朵
豆干 1 塊
蘿蔔乾 1 條
番茄 3 個
水 11 杯半

調味料：

辣椒醬 1 茶匙
醬油膏、糖少許
甜辣醬適量
薑末適量
胡椒粉 1/2 茶匙
油 1 湯匙
海鹽 1 茶匙
味噌適量

吃素後，你的身體會被洗滌乾淨，
你的心靈意志會更加清楚。

——史碧絲·威廉士

傳統碗粿

（約 12 碗）

步　驟： 1. 將在來米粉、地瓜粉加入冷水，用攪拌器拌均勻，沖入熱開水，再繼續攪拌，移至爐上，用小火，繼續攪拌成濃稠狀，熄火。

2. 將碗抹上少許油，把步驟 1.倒入七分滿，入蒸鍋蒸 30 分鐘，即可取出備用。

3. 素末洗淨，泡軟，擠乾水份，加入醬油醃 20 分鐘，入鍋炒至微黃，起鍋備用。

4. 油 2 大匙入炒鍋，待熱，放入香菇絲、步驟 3.之素末，炒至金黃色，加入蘿蔔乾末、胡椒粉、糖，拌炒均勻至香味溢出即可起鍋。

5. 將調味料 2.入炒鍋調均勻，開小火，邊煮邊攪拌，至稠狀即起鍋便成醬汁。

6. 食用時，洒入步驟 4.及淋入步驟 5.之醬汁即可享用。

秘　訣：　在攪拌米漿時（步驟 1.），不妨多攪拌幾下，會比較有彈性，口感較佳。

材　料：

1. 在來米粉 300 公克
   地瓜粉 30 公克
   熱水 1200cc
   冷水 800cc

2. 香菇絲半碗
   素末 1 碗
   蘿蔔乾末 1 碗

調味料：

1. 醬油 1 大匙　糖少許
   胡椒粉少許

2. 香椿醬 1 大匙
   醬油膏半杯
   醬油 1/3 杯
   甜辣醬 1/3 杯
   糯米粉 2 大匙
   糖 3 大匙　水 3 杯

留
香
糕
點

136

切出卵不可食，皆有子也。
——《顯識論》

桂圓糯米糕

（約 4~6 人份）

步　　驟：
1. 金橘餅切開去籽，再切成細丁。糯米洗淨，加水泡 30 分鐘，倒掉水，加入 2 杯水，外鍋 1 杯水，放入電鍋煮熟，再燜 30 分鐘。（開蓋，看看米是否已熟透，若仍未熟透時，可洒一些水再燜，電鍋再切電一次。）
2. 加入桂圓肉、金橘餅丁、紅糖攪拌均勻，不用加水，再將電鍋切一次電，待其跳起，再燜 30 分鐘，起鍋，倒入平盤，抹平，待涼，切成塊狀即可取食。

變　　化：　隔天的糯米飯若變太硬，可再蒸一次；或是放入鍋中，加水，用小火煮成糯米稀飯，口味佳。

秘　　訣：　米一定要熟透才能加糖，否則會變得更硬。

知　　識：　維他命 B 對身體極重要，它們對消化是必須的，幫助我們由所吃的碳水化合物中獲取能量，同時分解蛋白質以利身體吸收，也幫助身體成長與維護神經系統，身體每一個細胞都需要維他命 B，否則會全身不適。我們應該儘量吃極富維他命 B，而未曾精煉過的穀類，如全麥麵包、糙米、麥芽等。

材　　料：
圓糯米 1 斤
桂圓肉 7 分滿碗
金橘餅 2 個

調味料：
紅糖 1 杯

吃野獸肉，自己將會變成牠的墳墓。
我告訴你們實話，那殺人者將殺了自己，
那殺生吃肉者，就是吃死人的肉。
　　　　　　　　——猶太教和平福音

步步糕升

（約 4 人份）

步　　驟：
1. 蓬萊米洗淨，加 2 倍水泡一夜，撈起，瀝乾水份，加入 1 杯半水，用果汁機打成米漿，加入麵粉、紅糖、酵母粉拌均勻，待其發起至 2 倍。
2. 水入蒸鍋，待水滾後，放蒸籠、空碗；預熱後，將步驟 1.之米漿放入空碗內，每碗加至 8 分滿，蓋上鍋蓋，用大火蒸 25 分鐘，再用筷子試，不粘筷子即可起鍋。

秘　　訣：
用蓬萊米做成的發糕，兩天內不用入冰箱，仍可保持其軟度，最好趁此時用畢。亦可用再來米，但隔天就會變硬，須再次蒸過才可食用。發糕要用大火蒸，鍋內的水量要夠，上來的水蒸氣夠大，蒸出來的發糕才能發得完美。

變　　化：
也可以用鐵盤，或圓盤，放入蒸籠預熱後，直接將步驟 1.倒入，蒸成一大塊，待涼後再切開。

知　　識：
蔬菜保存前，先除去污垢、殘枝敗葉，但不必清洗，以透孔塑膠袋或白報紙包好（有些球形或長形蔬菜也可用保鮮膜包封），再行放入冰箱或陰涼處貯藏。

材　　料：
蓬萊米 2 杯
中筋麵粉 1 杯
紅糖 1 杯半
酵母粉 1 茶匙半

留香糕點

140

在前生殺生太多，或者打獵、打魚、釣魚、殺雞、殺牛、殺羊、殺狗，殺太多了，這一類的人，今生就會有很多奇奇怪怪的病痛。

——宣化上人

晶餃雙吃

(約 50 個)

步　　驟： 1. 外皮：米洗淨，內鍋加入 2 杯半水，外鍋 2 杯水，煮成（很軟的）乾飯，待涼，加入地瓜粉，用力搓揉至均勻，即成外皮，分成 50 等份，備用。

2. 內餡：油 3 大匙入炒鍋，待熱，放入麵筋條細丁，炒至金黃色，加入香菇末再炒香，放入醬油略炒，加入蘿蔔乾末略炒，再入糖、胡椒粉，攪拌均勻，即成內餡，起鍋備用。

3. 將步驟 1.的外皮取一份，搯成圓平形，再將步驟 2.之內餡包入，並搯成三角形，或喜好之形狀。（依此作法，約可做 50 個）

4. 水入鍋煮沸，放入步驟 3.，用小火煮至水晶餃浮起(約兩倍大，大約煮 30 分鐘)，成半透明狀，即可起鍋，沾五味醬食用。

秘　　訣： 水晶餃，要用小火慢慢地煮，內餡才不會爆開，要邊煮邊用筷子推動，以免焦底。

變　　化： 亦可作成水晶餃湯，將步驟 4.煮熟時，不用撈起，直接加入海鹽、青菜、芹菜末，洒少許香油、胡椒粉，即可。

材　　料：
蓬萊米 1 杯
優質地瓜粉 600 公克
　　　　　　（1 台斤）
蘿蔔乾末 150 公克
　　　　　　（4 台兩）
香菇末 1 碗
麵筋條細丁 1 碗

調味料：
1.醬油 1 茶匙
　糖 1/2 茶匙
　胡椒粉少許
2.五味醬：
　辣椒醬　番茄醬
　醬油　麻油　白醋
（以同等量加在一起調均勻）

世
界和平或其他形式的和平，以人類的心靈狀態而定，
素食主義可帶給人們對和平的正確態度。

——緬甸前總理·烏努

酥香餅

步　驟：
1. 將材料 1.混合拌均勻，置於室溫 8 小時，做成老麵。
2. 材料 2.中燙麵先燙好，揉勻，加入步驟 1.之老麵搓揉均勻，蓋上濕布，醒麵 30 分鐘，分割成 50 公克（一個的重量）小麵糰，備用。
3. 材料 3.中，低筋麵粉加入酥油，用壓拌方式（不用搓揉），拌均勻做成油酥，分割成 50 公克（一個的重量）。
4. 五香豆干洗淨，切 1 公分大丁。四季豆去老梗，洗淨，切 1 公分大丁。紅蘿蔔去皮洗淨，切丁。香菇泡軟，瀝乾水份，切丁。
5. 油半碗入炒鍋，待熱，放入香菇丁、醬油爆香，加入豆干丁炒至金黃色，再加海鹽、胡椒粉、五香粉、糖，炒至入味，續加紅蘿蔔丁、四季豆丁拌炒均勻即可起鍋，備用。
6. 將麵皮（步驟 2.）壓平後，將步驟 3.包入，擀成圓片，再包入餡料（步驟 5.），口收緊，表面刷上糖水，沾上白芝麻，放入烤盤（烤盤先刷油），烤箱預熱 180 度，用 180 度烤至表面金黃色（約 30 分鐘）即可。（亦可用不沾鍋，烤至表面呈金黃色即可起鍋。）

材　料：
1. 中筋麵粉 2 杯　水 1 杯
   酵母 1 茶匙
2. 中筋麵粉 2 杯　沸水 1 杯
   油 2 大匙
3. 低筋麵粉 250 公克　酥油 125 公克
4. 五香豆干 300 公克（半台斤）
   四季豆 600 公克（1 台斤）
   紅蘿蔔半條　香菇 20 朵

調味料：
醬油 3 大匙
海鹽 1 大匙
糖 1 大匙
胡椒粉 1/2 茶匙
五香粉 1/2 茶匙

凡殺生者，多為人食，人若不食，亦無殺事，
是故食肉與殺同罪。

——《大乘入楞伽經》

蜜汁芋泥

步　驟：　1. 冰糖加水少許，煮成糖漿備用。

　　　　　2. 芋頭去皮洗淨，切薄片，水煮滾後，將芋頭片入蒸鍋蒸 15 分鐘，取出，趁熱搗成泥狀，加入蓮藕粉、紅砂糖，攪拌均勻，裝入器皿，再入蒸鍋蒸 20 分鐘，取出，倒叩置於盤中，淋上糖漿即成。

秘　訣：　芋頭蒸熟，要趁熱比較容易搗成泥。

知　識：　維他命 E 是形成人體細胞核所必需的養分，缺乏維他命 E，氧氣在體內就會不斷消耗，而我們所需的氧氣就會大量減少。要培養強壯的肌肉與健全的姿勢，維他命 E 是必需的。大豆油中含極豐富的維他命 E，其他來源還有堅果、麥芽、豌豆和一般豆類、青菜、甜薯等。

材　　料：
檳榔芋頭 1 顆約 600 公克
　　　　　　　　　　（1 台斤）
蓮藕粉半碗

調味料：
冰糖半杯
紅砂糖 2 大匙

萬

物傷亡總痛情　雖然蟲蟻亦貪生
一般性命天性就　吩咐兒曹莫看輕
　　　　　　　——蓉湖愚者

豆泥棗餅

（16 個）

步　　驟： 1. 豆沙分成 16 份。地瓜去皮洗淨，切片，蒸熟壓爛，加入糯米粉、砂糖，揉均
匀，分成 16 個，包入豆沙餡，搓成長橢圓形，沾水，滾上芝麻，備用。

2. 油入炒鍋，用小火待熱，放入步驟 1. 之豆沙棗，慢慢地炸成金黃色即可起鍋，
瀝乾油份入盤中（盤底可墊餐巾紙，吸去多餘油脂），即可食用。

秘　　訣： 油炸時，要用小火慢慢地炸，才不會裂開。

變　　化： 內餡可隨個人喜好變換。例如：綠豆沙、棗泥…。

知　　識： 一個素食者若能有均衡的飲食，他可從食物中得到極充分的營養，而不會有
肉類所含的有害毒素。

材　　料：

外皮 － 地瓜半斤
　　　　砂糖 1 大匙
　　　　糯米粉 1 杯
　　　　生白芝麻 1/2 杯

內餡 － 豆沙 4 兩

當

觀長壽者　不害眾生故　一切皆懼死
莫不畏杖痛　恕己可為喻　勿殺勿行杖
　　　　　——《佛說大般泥洹經》

堅果黃金糕

步　　驟：
1. 先將烤箱用 190 度，預熱 10 分鐘。
2. 將材料 1.之麵粉過篩，加入水拌勻，備用。
3. 所有材料 2.放入電動攪拌器內，攪拌至顏色變白色。（表示糖已溶化）
4. 再將材料 3.之麵粉（過篩）及柳橙汁，加入步驟 3.內，攪拌均勻後，再加入
   步驟 2.，用電動攪拌器攪拌均勻，加入材料 4.，略拌均勻，倒入模型內，放
   入烤箱，上火 160 度，下火 150 度，烤 35 分鐘即成。（依個人之烤箱不同，
   溫度自行調整）

材　　料：
1. 低筋麵粉 140 公克
   水 500cc
2. 沙拉油 300 公克
   卡羅益麵劑(可用泡打粉代替)10 公克
   白色細砂糖 225 公克
   海鹽 5 公克
   香草粉少許
3. 中筋麵粉 600 公克
   柳橙汁 300cc
4 核桃適量
   南瓜子適量
   葡萄乾(先用水泡軟)適量
5. 圓形烤盤（直徑約 19.5 公分）備用

來

時萍藻歡迎　去處水天浩蕩
臨淵樂與魚同　不必退而結網
　　　　　　──弘一大師

清涼布丁

(12 個)

步　驟：將豆漿加入砂糖，移置爐上，用小火邊煮邊攪拌，至微滾即熄火，放置略降溫（約 80 度），加入膠凍粉攪拌均勻，逐一倒入布丁杯內，待涼即可食用，或移入冰箱，冷藏後風味更佳。

秘　訣：1. 改用粉類時，要先加入少許水，調均勻後，放入已煮滾的糖水內，並充份攪拌均勻，才不會有顆粒狀。
　　　　2. 若採用茶葉時，要先泡成茶水方可加入，但總水量是 1200cc。

變　化：可用巧克力粉加水取代豆漿，變成巧克力口味；或綠茶粉、紅茶（總水量共 1200cc），可隨喜好變化口味，其餘作法相同。

知　識：地下水已經被硝酸鹽污染得很嚴重，這是排泄物和化學肥料所造成的，在地下水中的硝酸鹽會引起癌症和紅血球過多的病，而且對兒童很不好。在礦泉水中也發現硝酸鹽，表示硝酸鹽已深入到很深的地層，而我們現在所飲用的礦泉水則是一百年前的。

材　料：
1. 豆漿 1200cc
　砂糖 3 大匙
　膠凍粉 4 大匙（素食材料行或有機店可買）
2. 布丁杯 12 個

留香糕點

152

最好的消業方法，莫過於放生；世界上最大的惡業，莫過於殺生害命。反過來說，世界上最大的善業，莫過於戒殺放生，所以放生是最大的功德。

——金山活佛

珊瑚果凍

步　　驟： 1. 乾珊瑚草洗淨，泡水約 3 小時（中途可換水 2~3 次）。紅棗、枸杞洗淨。
2. 電鍋（十人份）內鍋加入半鍋水，放入步驟 1.之珊瑚草、紅棗、枸杞，用大火煮開，改用小火熬煮至珊瑚草溶化為止，加入冰糖，再煮至糖溶化即可，起鍋，倒入果凍模型，待冷卻後，放入冰箱冷藏，可保存約一星期。

變　　化： 1. 甜度可視個人口味自行增減。
2. 或以乾白木耳 1 碗泡開，入鍋煮至白木耳軟化後，加入泡好的珊瑚草再煮至軟化，再加入冰糖，煮至冰糖溶化，即成海燕窩。口感好，營養豐富，不妨試試看！

知　　識： 台灣海域找不到珊瑚草的足跡，不過有雷同的海石花。珊瑚草生長在日本、紐、澳、印尼、菲律賓、夏威夷、越南等海域；目前，日本已禁採。

材　　料：
乾珊瑚草 2 兩
紅棗 20 顆
枸杞少許

調味料：
冰糖 1 杯

 留香糕點

154

戒

殺放生者，來世得生於四王天，享無邊之福。
　　　　　　　　　　　　　　　——印光大師

古意燒餅

（24 個）

步　驟：
1. 2 杯中筋麵粉及發粉加水（適量）搓揉均勻，待發（請參考本會出版之《菜根飄香》‧ 23 頁基本發麵法）。
2. 燙麵作法：2 杯麵粉加 1/4 杯油，放入盆內，再加 90 度開水，以木杓揉勻。
3. 1 杯半低筋麵粉，加 6 湯匙油拌勻，即成油心。
4. 等燙麵稍涼後，再將步驟 1.2.合勻成麵糰，待發。
5. 取步驟 4.包入步驟 3.的油心，擀成長形，摺成 3 段，再重複一次後，取芝麻洒上，再擀成長形，入平底鍋以小火煎即可。

知　識：
一些哈佛的醫生和研究科學家採訪南美厄瓜多爾一個偏遠的小村。他們很驚訝地發現，四百位村民中，許多人活到驚人的長壽。「年紀最大的是一百二十一歲，有許多是超過百歲的人瑞，有三十八個人超過七十五歲。基於此，他們作了徹底的檢查，發現只有兩個人有心臟病的跡象。」這一村的人都吃素。醫生們稱此發現為「難以置信」的，且說「在美國，對相同年紀的人作此種檢驗，至少有百分之九十五的人會有心臟病。」

材　料：
中筋麵粉 4 杯
低筋麵粉 1 杯半
水 1/4 杯
油 1/4 杯（6 湯匙）
芝麻少許
發粉 2 茶匙

切愛眼目　愛子亦復爾　愛壽命無極　是故不殺生
　　　　　　　　　　　　　　　——《受十善戒經》

鄉土大餅

(2 個)

步　　驟：
1. 取材料 A.揉和成麵糰，待發（請參考本會出版之《菜根飄香》· 23 頁基本發麵法），分成 2 份。
2. 取一份麵糰，擀成長形，抹上 B.料，捲起，然後做成 S 形，再上下重疊，擀成圓形，入平底鍋，用中火煎（要蓋鍋蓋），煎至以牙籤插入，不沾生料即熟。

變　　化：
1. 以此發好的材料，可做成 10 個香菜油餅，以平底鍋煎即可。
2. 也可以此麵糰擀成長形，內鋪香菜末，海鹽、油適量，摺成三層，洒上芝麻，斜切，入烤箱 190 度烤，即成另一種燒餅。

知　　識：
居住在冰雪覆蓋、寒冷的北極地帶，幾乎完全以肉食為主的愛斯基摩人，他們的平均壽命只有廿七歲半。蘇格蘭人比肉食的英格蘭人，多消耗百分之廿的牛肉，患腸癌的比例為全世界之冠。

材　　料：
A. 中筋麵粉 5 杯
　　水 1 碗半
　　酵母 1 茶匙
　　油少許
B. 香菜或香椿切末適量
　　油 1 湯匙
　　海鹽適量

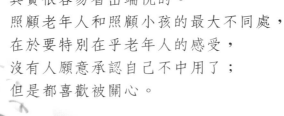

宣化上人曾説：「做人的根本，先要盡孝道。」

然而在現實的忙碌社會中，
我們的關心常用在兒女身上，
反而忽略了父母。
或許我們依賴父母親慣了，
未察覺也不習慣，
原來他們也會老，而且反過來需要我們照顧了。
照顧老人是一件很容易，也是很不容易的事。
父母不願為我們添麻煩，
所以不論有什麼需求，總不太願意開口；
但是，我們若是仔細一點客觀地察顏觀色，
其實很容易看出端倪的。
照顧老年人和照顧小孩的最大不同處，
在於要特別在乎老年人的感受，
沒有人願意承認自己不中用了；
但是都喜歡被關心。

敬老

養

生概念

1.食物儘量煮得軟些

老年人由於咀嚼及吞嚥能力都比較差，為了讓老年人每天都能攝取足夠的熱量及營養，所以在烹調食物時，可以煮得軟些，易於嚼食、吸收。請記住；假牙畢竟不是那麼好用。為了方便老年人咀嚼，也儘量挑選質地比較軟的蔬菜，像是大番茄、絲瓜、冬瓜、南瓜、茄子及葉菜類的嫩葉等，切成小丁塊，或是刨成細絲後再烹調。如果老人家平常吃稀飯或湯麵做為主食，可以每次加進 1～2 種蔬菜一起煮，以確保他們每天至少吃到 3 種蔬菜。老年人的胃腸消化吸收功能弱，如果長久吃堅硬或煮得不爛的食物，易消化不良，或造成胃病。

2.多吃水果

每天至少吃 2 種水果。吃水果最好的時間，是每日上午九～十時，以及下午三～四時，這個時間吃水果較不會影響正餐的胃口。吃水果，切忌冰冷，最好從冰箱拿出來半小時之後再吃，夏天也要如此。老年人胃腸粘膜大多已退化，胃酸及各種消化二的分泌逐步減少，使消化功能下降。如果經常吃冷食，會引起胃粘膜血管收縮，胃液分泌減少，導致食欲下降和消化不良。

水果儘量慢慢咀嚼，少打果汁，因為在咀嚼的過程中，可以分泌唾液；人體唾液含有粘蛋白、球蛋白、胺基酸、澱粉酶、麥芽糖酶等許多重要的有益成份，而這些都與人體的健康、長壽有著密切的關係，正如古人所說：「白玉齒邊有靈泉，涓涓育我度長年。」

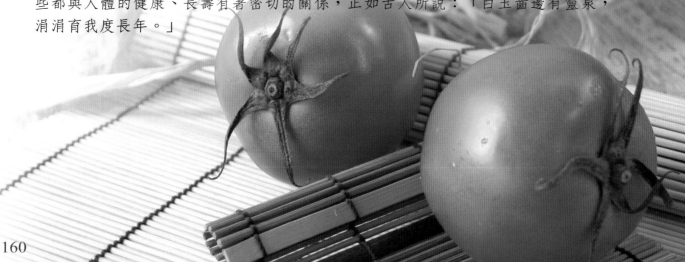

3.補充維他命 B 群

大多數的老年人對維他命 B6 的攝取不足。近年來的研究顯示：維他命 B 群和老人易罹患的心血管疾病，腎臟病、白內障、腦部功能退化（認知、記憶力）及精神健康等，都有相當密切的關聯。未經精製的穀類及堅果中，都含有豐富的維他命 B 群，所以在為老年人準備三餐時，不妨加一些糙米、胚芽米或小麥胚芽等，和白米一起煮成稀飯；或者也可以將少量堅果放進果汁機裏打碎成粉，再加到燕麥裏一起煮成燕麥粥，這些都是老年人攝取維他命 B 的好方法。

4.儘量準備香氣濃郁、色澤好看的食物

人的味蕾與嗅覺細胞隨著老化而日漸萎縮，由於味蕾的傳導效應變低，有些老年人會覺得味道改變，或是對味覺刺激不那麼敏感。研究顯示，不同的味覺，喪失的程度也有所不同，感受鹹味的能力喪失最多，然後依序是苦味、甘味、酸味、甜味。

當老年人抱怨有些食物沒有味道，或者做菜時猛放鹽，還說不夠鹹或不夠甜的時候，子女可要體貼地説明，鹽、糖放得夠多了。味覺退化，有沒有什麼辦法，可以讓味覺衰減的老年人，依然可以繼續享受食物的美味呢？

有的，就是：

一、做菜時，先以少鹽少糖的做法，然後用調味厚重一點的湯汁淋上；或是，水煮的食物沾上湯汁再入口。這樣子，把甜、鹹味道淺淺地鋪在食物表面，就可以讓舌頭滿足，而糖、鹽的攝取又不會過量。

二、用溫度控制，加強香味的散發。食物趁熱上桌，或最後才澆上熱湯汁，食物的香氣十足，自然可提高老年人的滿足感。

三、可以從進食的環境來製造提高食慾的效果。食物的整體色調及香味，也可多花點心思。例如：盤子上盛放著熱氣騰騰、色澤誘人的食物，或在餐具、桌布上動腦筋搭配，來增加用餐氣氛；再加上濃濃的食物香味，都可以刺激，引起吃東西的慾望。

5.食物務必清淡

多數老年人有高血壓，要有效地控制高血壓，「少油、少鹽、低脂」是預防及控制高血壓的飲食原則。平常多吃些水煮的花生、綠豆、紅豆、黃豆、黑豆，可以補充油脂。老年人的食物不能貪精製。老年人長期習慣食用精白的米麵，攝取的纖維素少了，就會減弱腸的蠕動，容易造成便秘。老年人進餐的時間宜早不宜遲，有利於食物消化與飯後休息，可避免積食或低血糖。 此外，老年人飲食宜溫不宜燙，因熱食易損害口腔、食道和胃。而且，由於食道前方緊靠左心房，吞咽高溫食物後，會立即影響心律，有時還會引起心律失常，所以不能食用過燙的食物。

6.常洗腳

洗腳對人有很多好處，人體的五臟六腑在腳上都有相應的穴位，經常洗腳，自然磨擦了腳上的穴位，這不僅能保持足部清潔，還可舒經活絡，改善血液循環，有益大腦細胞增生，對不少疾病有輔助治療作用。高血壓患者用熱水洗腳可以降血壓。所以我國歷代養生家都很重視洗腳，特別是睡前洗腳。

有關洗腳的順口溜很有趣：
早晚洗腳，當吃補藥。勤吃藥不如勤洗腳。富人靠吃藥，窮人靠燙腳。有錢常吃藥，無錢常洗腳。勤洗腳，少吃藥。洗腳去寒，洗手去汙。寒咳無藥，滾水燙腳。感冒洗腳，勝過吃藥。害眼洗腳，強如吃藥。樹老根先老，人老腳先衰，若要腿腳健，夜夜燙腳筋。春天洗腳，升陽固脫；夏天洗腳，暑濕可袪；秋天洗腳，肺腑潤育；冬天洗腳，丹田溫灼；天天洗腳，勝吃補藥。

除了注意飲食、洗腳之外，保持良好的心情是養生的不二良方，我們更要以歡喜心、恭敬心來侍奉父母，因為這是萬金難買的福氣。 宣化上人說過「父母乃是堂上活佛」，我們到廟中禮佛、拜懺；千萬別忘了家中的活佛。

一個真實的故事——**羅 來**

今生人吃狗，來生狗吃人

——宣化上人

人哪！自己走錯路，還認為自己是對的；自己要是走正路了，就驕傲。走錯路，不知改悔，這是很危險的；走正路卻生驕傲心，這也是將來墮落的一個開始。

做人不是太過，就是不及。太過，做善事時執著，有個名利心在善裏頭夾雜；或者不及，做惡事不叫人知道，這也是很危險的。這是一個太過，一個不及。做善事若能不叫人知道，那是真善；做惡事儘量叫人知道，那就不是大惡。所以才說：「善欲人見不是真善，惡恐人知便是大惡。」由這兩句話就知道，我們應該「諸惡不作，眾善奉行；擇善而從，不善而改。」人不怕有過，就怕你有過不能改。過而不改，就是真過；你要是勇於改過，瀰天大罪一懺便消。無論是在國法、人情、天理上，你要能痛改前非，上天不罰悔過之人。怕就怕你護惡不宣，明明知道自己有罪過，不想改，也不想叫人知道自己的罪過，這叫什麼呢？這叫掩耳盜鈴、自欺欺人，是瞞不住的。

舉個例子，就像美國感恩節吃火雞；火雞救那些軍人的生命，可是牠就遭了殃。大概火雞王當初沒有想到，牠好心派一些眷屬以生命來救護一些軍人的生命，結果卻變成感恩節，牠的眷屬到這一天被宰殺不知多少！感恩節本來應該給這些火雞燒燒香、上上供、叩幾個頭。可是，卻不是那樣！而是大殺特殺「好！我殺就殺光了你再說，我活了，你就應該死。」你看看！這個世界，人類的報恩就是這個樣子的！

羅來是香港人，以殺狗為副業。在香港，殺狗是犯法的，所以狗肉是黑市買賣，如果政府知道就會處罰。因為英國人和美國人都愛狗如命，所以法律也要保護狗。正因如此，物以稀為貴，愈保護就愈要殺；所以，香港人到郊區去旅行，多數要吃一點狗肉。

羅來生來家貧，又喜歡賭錢，嗜酒如命；酒喝飽了，就什麼也不管。他結婚後，生三個兒子和一個女兒；因為他不照顧家庭，太太就離家出走了。這時，羅來得想法子維持生活，就以殺狗為副業。他殺狗的方法很特別，他把狗裝在一個布袋裏頭，綁緊了，把狗頭朝下淹死在水缸裏，如此這狗不能叫，而且很快就淹死；因為如果狗一叫，警察聽到，就會抓他去坐牢。他自己吃狗肉、喝燒酒，其餘的狗肉又可以賣給旁人賺錢。就這樣子，左鄰右舍、親戚朋友都知道他的副業是殺狗，於是有不想要的狗，就送給他殺。

在灣仔的舊樓，羅來不知殺了多少年的狗，後來他搬到新樓去，那邊左鄰右舍沒有人知道他是一個殺狗的。他的殺狗生意也越來越不好，於是他就在大廈做看更的。有一天，來了一條母狗，大概牠是來還債的，羅來把狗養肥了要殺，而這狗好像知道要殺牠似的，於是跪在樓板上落淚，向他哀求饒恕，乞求不要殺牠，這母狗哭得眼淚滴濕了樓板，羅來就不殺這母狗了。後來母狗生了小狗，羅來興趣就來了，心想：「我要殺你這隻大狗，你就哭。好！這些小狗我可以把牠們殺了吧！」所以就把這些小狗養肥了，然後一隻一隻都屠宰了。這些小狗的肉又嫩又滑又肥，因此就有很多人買。

每逢羅來殺小狗的時候，母狗就哭，可是也不攔阻羅來。如是十幾年，小狗生得多，羅來就殺得多；生得少就殺得少，他殺的小狗不計其數。有一年，這隻母狗大概想小狗想得發狂了，晚間見到看更的人就要咬，大概想要發洩牠的憤恨，看更的人就把母狗打死了。母狗被打死沒多久，羅來就得了半身不遂的疾病，住了八年醫院，就好像在坐監獄活受罪，一直到今年（一九八七年）九月十一日腦溢血死了。

羅來的兒子叫羅果榮，最近在香港皈依了，他想見父親最後一面，就去看羅來，沒想到羅來又活過來；這時，家裏的人都看見了，羅來卻現出了一隻狗被殺死時那種慘痛的形狀；由此看來，羅來一定是做狗去了。這是因果報應，這個真人真事證明因果報應是絲毫不爽的，所以我們要特別特別提高警覺。現在你若殺這狗；未來，那隻狗又去做人，而殺狗這個人又去做狗，互相殺來殺去，因果循環，遞償新陳，絲毫不會假的。所以，種善因就結善果；種惡因就結惡果，果報到的時侯，是自己要受的。

一般人在沒有受果報之前，以為沒有因果報應，等到受果報的時候，才知道自己做錯了。人在犯法的時候，逍遙法外不以為然；等到被警察抓去坐在監獄裏，那時候才知道要改悔，不過已經晚了。就像羅來吃狗肉、嚼狗骨，小狗在心裏頭積累的這種憤恨是不容易平復的。要是早知道有這種果報，就要深信因果，知道因果報應絲毫不爽，默默中都有鬼神管理這些事情，所以不能錯因果。已經造成的罪業，若等到受果報才知道後悔，那就為時已晚了！

你看！小狗沒有什麼罪過，還沒有長大，就被他給烹飪了，使令母狗忍痛淚綿綿。所以羅來現世現報，半身不遂，躺在那兒難以行動，就和狗被水淹死了一樣。這是現身說法，可真是悲悔呼號入黃泉！

祖師的叮嚀

放生十大功德

——印光大師

1.無刀兵劫

世上刀兵大劫,皆由人心好殺所致。人人戒殺放生,則人人全其慈悲愛物之心,而刀兵劫運亦自消滅於無形,此轉移世運之絕大運動也!深望大政治家、大教育家、大農工家注意於此,力為提倡,必有絕大效果。

2.集諸吉祥

吾人一發慈悲之心，則喜氣集於其身，此感應乃必然之理。

3.長壽健康

佛經云：戒殺放生之人得二種福報，一者長壽，二者多福、無病。

4.多子宜男

放生者，善體天地好生之心，故獲宜男之慶。

5.諸佛歡喜

一切生物，佛皆視之如子；救一物命，即是救佛一子，諸佛皆大歡喜。

放生十大功德

6.物類感恩

所救生物臨死得活，皆大歡喜；感恩思德，永為
萬劫圖報之緣。

7.無諸災難

慈悲之人，福德日增，一切患難皆無形消滅。

8.得生天上

戒殺放生者，來世得生於四王天，享無邊之福。
若兼修淨土者，直可往生於西方極樂國土，其功
德實無涯矣！

9. 現在為人生極危險時代，蓋菸酒之癖、戀愛之魔纏繞眾人；如眾生報恩，則諸惡消滅，四季安寧。

10. 動物由下級進於高階之狀態，與人類由野蠻進於文明之階級相符合。據生物學家之言曰：凡生物皆應於外界之狀態而生變化。如人人戒殺放生，則生生息息；善心相感，正似子孫代代相傳，永遠福壽。

法界佛教總會

美國「萬佛聖城」是西方佛教史上第一座大道場，它是宣化上人所成立的，乃西方佛教的發源地，所謂萬佛城，成萬佛，萬佛都來成。

而，萬佛聖城是「法界佛教總會」這把大傘蓋的總部。這把大傘，廣而言之是盡虛空、遍法界的；以我們這個世界來說，略而言之，就是所有宣化上人座下的道場、機構。

它　　　　——以法界為體。
　　　　　——以將佛教的真實義理，傳播到世界各地為目的。
　　　　　——以翻譯經典、弘揚正法、提倡道德教育、利樂一切有情為己任。

為此，上人立下家風：
　　　　凍死不攀緣，餓死不化緣，窮死不求緣，隨緣不變，不變隨緣，抱定
　　　　我們三大宗旨：捨命為佛事，造命為本事，正命為僧事。即事明理，
　　　　明理即事，推行祖師一脈心傳。

有人問：法界佛教總會自從一九五九年創立以來，它有多少道場？
　　　　——近 30 座，遍佈美、亞洲。
　　　　　其中僧眾本著上人所創的「六大條款」：不爭、不貪、不求、不自私
　　　　　、不自利、不妄語為依循；並恪遵佛制：日中一食、衣不離體。持
　　　　　戒念佛，習教參禪，和合共住地獻身佛教。

又有人問：它有多少機構？
　　　　——國際譯經學院、法界宗教研究院、僧伽居士訓練班、法界佛教大學
　　　　　、培德中學、育良小學等。

這傘蓋下的道場、機構，門户開放，沒有人我、國籍、宗教的分別，凡是各國
各教人士，願致力於仁義道德、明心見性者，歡迎您前來修持，共同研習！

法界佛教總會及分支道場

法界佛教總會 · 萬佛聖城
Dharma Realm Buddhist Association &
The City of Ten Thousand Buddhas
4951 Bodhi Way, Ukiah, CA 95482 U.S.A.
Tel: (707) 462-0939   Fax: (707) 462-0949
http://www.drba.org

國際譯經學院
The International Translation Institute
1777 Murchison Drive
Burlingame, CA 94010-4504 U.S.A.
Tel: (650) 692-5912   Fax: (650) 692-5056

法界宗教研究院（柏克萊寺）
Institute for World Religions
 (Berkeley Buddhist Monastery)
2304 McKinley Avenue, Berkeley, CA 94703 U.S.A.
Tel: (510) 848-3440   Fax: (510) 548-4551

金山聖寺 **Gold Mountain Monastery**
800 Sacramento Street
San Francisco, CA 94108 U.S.A.
Tel: (415) 421-6117   Fax: (415) 788-6001

金聖寺 **Gold Sage Monastery**
11455 Clayton Road, San Jose, CA 95127 U.S.A.
Tel: (408) 923-7243   Fax: (408) 923-1064

法界聖城 **City of the Dharma Realm**
1029 West Capitol Avenue
West Sacramento, CA 95691 U.S.A.
Tel: (916) 374-8268   Fax: (916) 374-8234

金輪聖寺 **Gold Wheel Monastery**
235 North Avenue 58
Los Angeles, CA 90042 U.S.A.
Tel: (323) 258-6668   Fax: (323) 258-3619

長堤聖寺 **Long Beach Monastery**
3361 East Ocean Boulevard
Long Beach, CA 90803 U.S.A.
Tel/Fax: (562) 438-8902

福祿壽聖寺
Blessings,Prosperity, and Longevity Monastery
4140 Long Beach Boulevard, Long Beach, CA 90807 USA
Tel/Fax: (562) 595-4966

華嚴聖寺 **Avatamsaka Monastery**
1009 Fourth Avenue S.W.
Calgary, AB T2P 0K8 Canada
Tel/Fax: (403) 234-0644

華嚴精舍 **Avatamsaka Vihara**
9601 Seven Locks Road, Bethesda
MD 20817-9997 U.S.A.
Tel: (301) 469-8300

金峰聖寺 **Gold Summit Monastery**
233 First Avenue,West,Seattle, WA 98119 U.S.A.
Tel: (206) 284-6690   Fax: (206) 284-6918

金佛聖寺 **Gold Buddha Monastery**
248 E. 11th Avenue
Vancouver,B.C. V5T 2C3 Canada
Tel: (604) 709-0248   Fax: (604) 684-3754

佛教講堂 Buddhist Lecture Hall
香港跑馬地黃泥涌道 31 號 11 樓
31 Wong Nei Chong Road Top Floor, Happy Valley, Hong Kong, China
Tel: (2)2572-7644 Fax: (2)2572-2850

法界佛教印經會 Dharma Realm Buddhist Books Distribution Society
臺灣省臺北市忠孝東路六段 85 號 11 樓
11th Floor, 85 Chung-hsiao E. Road, Sec. 6, Taipei, Taiwan, R.O.C.
Tel: (02) 2786-3022, 2786-2474   Fax: (02) 2786-2674

法界聖寺 Dharma Realm Sage Monastery
臺灣省高雄縣六龜鄉興龍村東溪山莊 20 號
20, Tong-hsi Shan-chuang, Hsing-lung Village, Liu-Kuei, Kaohsiung County, Taiwan, R.O.C.
Tel: (07) 689-3713   Fax: (07) 689-3870

彌陀聖寺 Amitabha Monastery
臺灣省花蓮縣壽豐鄉池南村四健會 7 號
7, Su-chien-hui, Chih-nan Village, Shou-Feng, Hualien County, Taiwan, R.O.C.
Tel: (03) 865-1956   Fax: (03) 865-3426

般若觀音聖寺（原紫雲洞）Prajna Guan Yin Sagely Monastery (formerly Tze Yun Tung Temple)
Batu 5 1/2, Jalan Sungai Besi, Salak Selatan, 57100 Kuala Lumpur, West Malaysia
Tel: (03)7982-6560   Fax: (03) 7980-1272

法界觀音聖寺（登彼岸）Dharma Realm Guan Yin Sagely Monastery (Deng Bi An)
161, Jalan Ampang, 50450 Kuala Lumpur, Malaysia
Tel: (03) 2164-8055   Fax: (03) 2163-7118

國家圖書館出版品預行編目資料

香積世界／法界食譜工作群作.——初版.——
臺北市：法總中文部，2006〔民 95〕印刷
面：　公分.——（法界食譜；2）

ISBN 978-986-7328-24-3
1.素食．2.食譜
427.31　　　　　　　　　94024750

珍惜、尊重每一個生命，法界佛教總會
以「護生基金」印製素食食譜免費贈
送，鼓勵大家吃素，間接達到放生的目
標。護生基金來自十方財，請善用食
譜，為眾生、健康、環境盡一份心力。

香積世界 ………… 法界食譜 2

作　者　法界食譜工作群

發行人　法界佛教總會‧佛經翻譯委員會‧法界佛教大學
地　址　The City of Ten Thousand Buddhas　（萬佛聖城）
　　　　4951 Bodhi Way, Ukiah, CA 95482 U.S.A.
　　　　Tel: (707) 462-0939　Fax: (707) 462-0949

出　版　法界佛教總會中文出版部
地　址　台灣省台北市忠孝東路六段 85 號 11 樓
　　　　電話: (02) 2786-3022　傳真: (02) 2786-2674

倡　印　法界佛教印經會（美國法界佛教總會駐華辦事處）
　　　　地址／電話：同上

　　　　法界文教基金會
　　　　台灣省高雄縣六龜鄉興龍村東溪山莊 20 號

出版日　西曆 2010 年 5 月 21 日　初版六刷
　　　　佛曆 3037 年 4 月 8 日　釋迦牟尼佛聖誕　恭印

www.drbachinese.org ‧ www.drba.org

------------ 贈　書‧歡迎隨喜助印 ------------　戶名:張淑彤　郵政劃撥/13217985